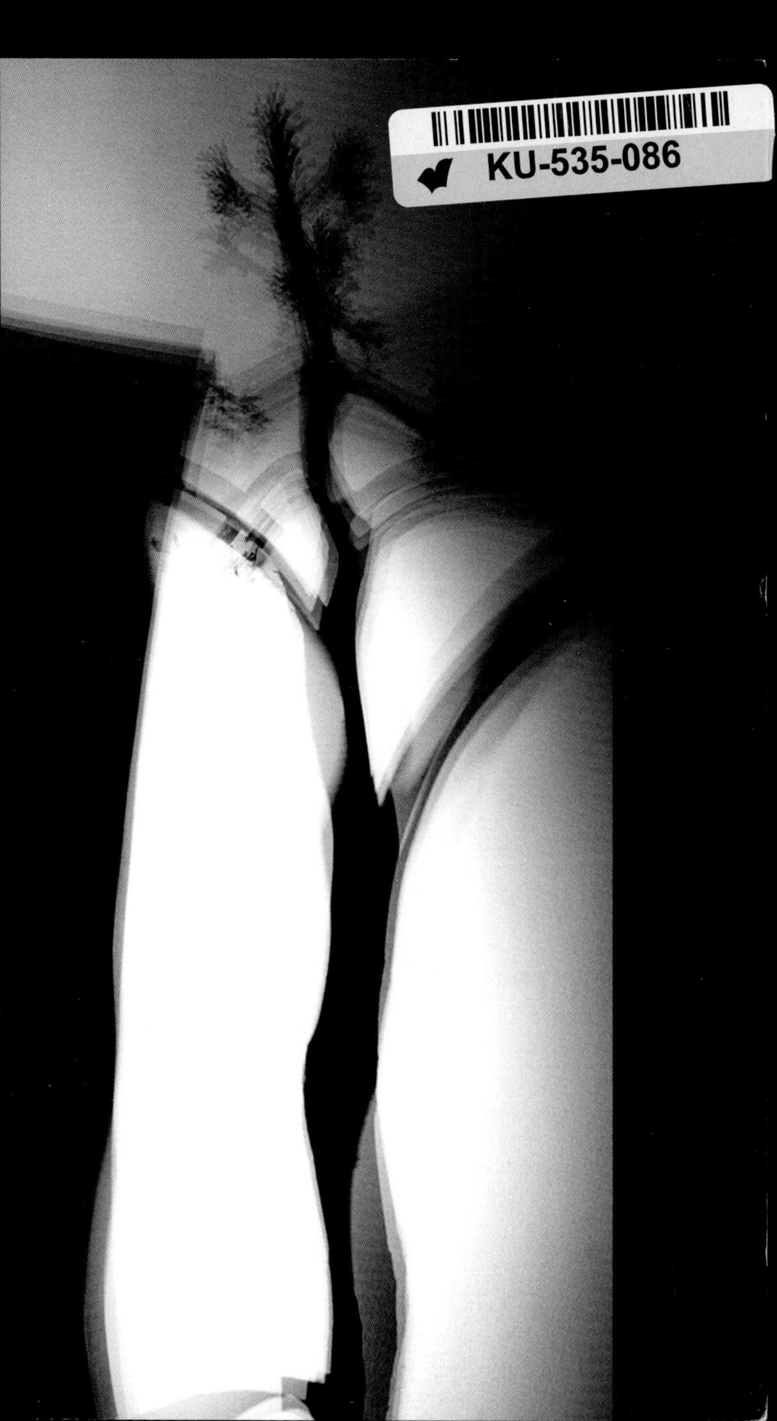
KU-535-086

Biblioteca PHotoBolsillo

Manel Esclusa

PHotoBolsillo LA FABRICA EDITORIAL

Manel Esclusa

La noche se mueve

Por Joan Bufill

Manel Esclusa. Autorretrato

Oscuridad manantial, lugar de apariciones, formas de la luz, disolución de lo sólido.El lenguaje de la poesía parece apropiado para hablar de la obra fotográfica de Manel Esclusa. Si su modo de expresión es poético (es decir, creador, descubridor o revelador, celebrador de la belleza del misterio, musical en la composición de los ritmos, en este caso visuales), su poética es casi siempre nocturna.

La noche se mueve: es una expresión que puede surgir al ver muchas de sus fotos (*Night Moves* era el título de una película dirigida por Arthur Penn, muy distinta de las obras del fotógrafo catalán). La noche es el escenario temporal de la mayor parte de la obra de Manel Esclusa. La suya es una noche temporal, que tiende a la abstracción, que trae la aparición y se la lleva. Con frecuencia es una noche urbana y despoblada, iluminada, móvil y por ello cambiante, noche casi líquida y etérea donde aún se reconocen cosas sólidas y donde es posible vislumbrar la aparición luminosa o aun sombría. Y sobre todo es una noche donde el tiempo se hace visible.

Recuerdo a Manel Esclusa fluyendo en la nocturnidad de una Barcelona al fin moderna que, en la primera mitad de los años ochenta, tenía sus lugares en bares como Zig Zag o Metropol y gozaba de una banda sonora donde estaban los Talking Heads, The Cure o Tom Waits. La imagen de Esclusa, con cazadora de cuero y moto espectacular –imagen de entonces y actual–, no

Serie GIT. Sin título, 1970

Serie AHUCS. Aus I, 1974

parece corresponderse con su obra fotográfica, donde predomina la visión abstracta y hasta mística, donde lo humano se expresa sin que en la imagen aparezcan personas, y que además es una obra experimental, precursora, muy influyente en autores importantes y totalmente independiente de las modas fotográficas, artísticas y estéticas.

La noche fotográfica de Esclusa no es una anécdota ni un documento, sino una visión subjetiva, a la vez contemplativa y futurista (no hay nostalgia del pasado en sus fotos). Es una metáfora, una nave que nos lleva más allá de lo consabido.

Esclusa se ha expresado casi siempre mediante series, casi todas tituladas en catalán. La primera fue *Git* (1969-1974), un título que se refiere al acto de arrojar, y ya incluía alguna imagen que anticipa la serie *Scantac*: un rostro como un mapa de ramificaciones fractales. Es de 1970 y ya entonces Esclusa, que trabajó en fotografía aplicada a la medicina, ideó algo parecido al proyecto de *Scantac*.

Siguieron *Ahucs* (1972-1974), *Crisàlides* (1974) y *Els ulls aturats* (1977-1978), tres series de fotos escenificadas, alegóricas y algo herméticas, con referencias al contexto sociopolítico. Es en la década de los ochen-

Serie ELS ULLS ATURATS.
Atzar immòbil, 1978

ta cuando Manel Esclusa realiza sus primeras aportaciones importantes a nivel internacional. Ya no busca el misterio mediante la escenificación, sino que lo encuentra en un exterior que, recreado por él, puede expresar lo vivido interiormente. Se libera de ese lado teatral de su obra anterior y trabaja ahora a partir de la realidad visible, de la luz y de la sombra, que es lo propio de la fotografía. Pero esa realidad visible es transfigurada y la mirada se convierte en visión metarrealista.

El inicio o la transición hacia esta nueva visión, se produce en las series *Venezia* y *Sil.lepsis*. En *Venezia* (1979), Esclusa inicia su exploración temporal y nocturna, mediante largas exposiciones que hacen visible el tiempo a través del movimiento en la quietud: la leve oscilación de una góndola en una calle de agua casi quieta. Y ya las naves aparecen además como otra cosa, oscuras como su entorno: como ataúdes tal vez.

La serie *Sil.lepsis* (1979-1981), parte de una anomalía gramatical, la construcción incorrecta sólo aparentemente. Esta idea se traduce visualmente en unas imágenes que atentan contra las normas expresivas fotográficas, donde los paisajes (nocturnos y urbanos), son medio tapados por siluetas y sombras humanas, que sin embargo dan intensidad a las imágenes. En una foto, una sombra es atravesada por la arquitectura del lugar. En otra, una cabeza configura, al moverse, una sombra más clara que su quieto cuerpo negro, que así se desmaterializa, mediante el movimiento en el tiempo. Y en varias fotos hay trazos de luz de linterna o puntos de luz convertidos en líneas rectas mediante movimientos de cámara.

En las dos series siguientes, Esclusa logra no ya un estilo, sino una visión original, mediante imágenes descubiertas en lugares encontrados, imágenes realizadas, construidas a partir de lo visible. *Naus* (1983-1996), es el primer deslizamiento profundo de lo real a lo irreal, del mundo exterior y reconocible al mundo del sueño y el ensueño, a la vivencia y la visión interior. Los barcos en el dique seco y en el puerto de Barcelona parecen grandes animales en la noche, sombríos o iluminados. Lo sólido aparece como líquido o aéreo. El movimiento expresa el paso del tiempo, como un latido o un temblor. Hay barcos que sugieren el vientre de un cetáceo o el sexo de una mujer. Hay zonas abisales donde lo más concreto –el metal– aparece como luz, ya no corpóreo. Un montón de tierra junto a un barco evoca el oleaje de un naufragio.

Naus se presentó en la galería René Metras, de Barcelona, en 1984, y con motivo de esta exposición propuse la realización de un vídeo que se emitió en el programa de televisión *Estoc de pop*, una derivación audiovisual de esta serie fotográfica. De este modo, para preparar el guión, pude recorrer, de noche, todos los lugares del dique seco y del puerto donde Esclusa había realizado sus fotos. El descenso por unas escaleras metálicas hacia el fondo del dique seco me hizo pensar en Dante, en un descenso abisal, húmedamente infernal. Luego el espacio y los sonidos de abajo eran más propios de la película *Alien*. Era extraño, además, pensar esa exploración en el abismo de la esclusa también como un abismado autorretrato del fotógrafo, llamado Esclusa (la coincidencia de tema y apellido es fre-

Serie VENEZIA. Venezia VII, 1979

cuente en la historia del arte: Tàpies y sus muros o tapias, los muchos ojos de los cuadros de Miró, las carnes amorfas de Bacon, etcétera). Lo cierto es que aquel enorme espacio húmedo y aéreo bajo el nivel del mar, refugio de grandes barcos, me comunicaba una sensación de intemperie interior. Caían gotas iluminadas, había bidones con fuego, y aquello parecía la barriga de la ruina de un gran monstruo, de un gigante de metal.

Este aspecto mitológico y épico existe en algunas fotos de *Naus*, pero es mucho más importante otro aspecto más sutil, que es la relación entre el movimiento y la quietud y, de un modo más profundo, la visión de la materia y el tiempo, o de la materia en el tiempo. El motivo y el lugar sugieren ya estos temas: la inmovilidad de la nave, su solidez fuera del agua. Las composiciones de Esclusa juegan con esta convivencia de lo sólido y lo fluido, pero del contraste se pasa a la fusión, a la disolución de lo sólido. Y aquí sucede la mejor aportación de este fotógrafo: una mágica anulación de los opuestos, que le permite lograr fotos como *Àpex*, donde una misma nave es nítida y borrosa a la vez, tiene quietud y temblor, parece real e irreal, concreta y fantasmagórica al mismo tiempo. El secreto de esta "magia" es el método de Esclusa: incluir dos modos de fotografiar dentro de una misma fotografía y en el mismo acto, largo acto, de dispararla, con larga exposición (y no con trucajes de laboratorio).

En la imagen se aprecia el temblor en los números pintados en el barco, su leve oscilación en el agua, pero en una zona brilla totalmente nítida la textura del metal pintado. Esta inexplicable nitidez la consiguió iluminando con flash sólo esa zona, muy brevemente. El resultado es que en esa zona el tiempo no es visible y la imagen es una instantánea, mientras que en el resto de la foto todo es temblor y fluido. Las fotos de *Naus* son verdaderas anti-instantáneas, duraciones fotográficas donde el tiempo que pasa hace su trabajo, transforma o disuelve las formas y se hace visible. El abismo es también temporal.

Serie AQUARIANA. AQVIII, 1987

A Heráclito y a Platón les habrían maravillado estas imágenes, pero ante la siguiente serie –nuevos pasos en el abismo–, pienso más bien en la visión mística de san Juan de la Cruz. En las visiones de *Aquariana* (1986-1989), los peces del acuario se perciben como animales abisales y de luz. Sus movimientos son fluidos

Serie URBS DE NIT. Barcelona ciutat imaginada II-046, 1984

y, sin embargo, encerrados. Los colores –logrados mediante anilinas sobre blanco y negro y posterior foto en color–, son nocturnos, irreales, en la frontera entre el blanco y negro y el color, y también las figuras aparecen en un límite: el de la borradura, la desaparición. Son como vislumbres de disolución.

Por otra parte, un acuario remite a lo subconsciente, a lo escondido y encerrado, pero además alguno de los peces muestra una rara y divertida "cara" casi humana, lo que remite a los humanos ciudadanos, dinámicos pero también encerrados en sus casas y trabajos.

Llegados a este punto, me parece útil apuntar dos datos biográficos fundamentales, que explican la fascinación de Esclusa por la oscuridad y sus apariciones en el tiempo. El primero es que en su infancia, Manel acompañaba a su padre, aficionado a la espeleología, a unas cuevas cercanas a Vic, su ciudad natal. Cuando llegaban a pasadizos peligrosos, el niño se quedaba esperando en una caverna, a salvo, pero solo en la tiniebla. Le acompañaba una linterna con la que el futuro fotógrafo iluminaba las estalactitas que enfocaba. Fantaseaba con su formas, que se manifestaban a lo largo de una espera silenciosa. Lugar de apariciones, oscuridad manantial.

El segundo es que su padre era fotógrafo, y en el laboratorio el niño veía también cómo nacían lentamen-

Serie NAUS. Àpex, 1983

te las imágenes, en una oscuridad no negativa (proveedora de magia y no de miedo) y en un tiempo creador, literalmente positivador.

Esclusa ha aplicado esta visión también en sus paisajes nocturnos urbanos *Urbs de nit* (1984-1996), que incluyen los del libro *Barcelona, ciutat imaginada* (1988). Tras la noche de *Naus*, más onírica y metafísica que portuaria, y tras la noche subacuática y subconsciente de *Aquariana*, viene la noche urbana, iluminada y desierta, donde el fotógrafo aporta un aura mítica, misteriosa o futurista, a la imagen cotidiana, pero nueva, de la arquitectura y el urbanismo modernos. Esclusa expresa los fulgores y las estelas de la luz en movimiento, el aura de las formas sólidas, el desdoblamiento de las sombras y contornos, la abstracta danza de los grados de gris.

La serie *L'Arbre* (1991-1998), es una excepción por su empleo del color, mientras que en *Trencadís* (1992), el fotógrafo realiza un homenaje trabajando según el modo de Gaudí y Jujol. Sobreimpresiona diferentes imágenes nocturnas de arquitecturas y motivos gaudinianos, rompe los negativos y los recompone en un mosaico de trozos de fotos. Muy interesante fue su experiencia de fotografía efímera *Figuracions a l'espai* (Fundació Joan Miró, 1990), una acción-instalación fotográfica donde la arquitectura de la sala, con paredes de papel sensible sin exponer, fue el soporte –entre laboratorio fotográfico y caverna platónica–, y los visitantes de la exposición fueron los personajes de la foto, primero como sombras fijadas por una luz y un revelador pintado y luego como sombras vivas, proyectadas por unos focos en directo.

Scantac (iniciada en 1995) se basa en la TAC (Tomografía Axial Computerizada). Esta tecnología pensada para el diagnóstico médico, donde a los rayos X se añade la representación digital, sirve aquí a una expresión plástica fundamentada en una visión que es poética y subjetiva sin dejar de ser objetiva y científica. En *Scantac* el arte y la ciencia se reúnen y cooperan. Toda esta serie de "autorretratos" de la cabeza del fotógrafo parte de un disco óptico, una única foto que puede ser leída mediante secciones bidimensionales en diferentes niveles (distintos puntos de vista, distancias e iluminaciones). El resultado es una serie de paisajes anatómicos que parecen casi cósmicos, donde el ser humano puede aparecer como una nebulosa oscurecida. Hay paisajes de huesos alumbrados en lo negro, cráneos como naves espaciales, tejidos como galaxias, rostros como átomos dispersos. La materia aparece como luz. Lo microscópico se parece a lo macroscópico, el hombre se parece al universo, el interior al exterior, lo propio y más cercano a lo lejano.

Finalmente, en *Aiguallum* (iniciada en 2000), encontramos una parecida ambigüedad figurativa, que estimula la imaginación. En la noche, las formas del agua iluminada de las fuentes de Montjuïc, muy populares en Barcelona, sugieren otras realidades distintas y –emplearé el término de Stieglitz– casi equivalentes: olas sobre arena, estalactitas alumbradas, lava de volcán, nubes o flores de luz. Aquí la ausencia de color y la dirección fuera de eje, antirrealista y expansiva de los encuadres, potencian la deseada desdefinición, desidentificación de las imágenes. El conjunto revela lo parecido de lo distinto, lo que une o puede unir.

Serie AIGUALLUM. Aiguallum XI, 2000

La aportación de Manel Esclusa a la historia no ya de la fotografía, sino de las artes plásticas, merece destacarse junto con la de otros artistas aún no suficientemente valorados internacionalmente: fotógrafos como Meatyard o Harry Callahan, pero también cineastas experimentales como Marie Menken, Stan Brakhage o Michael Snow, maestros como él de la música de la luz y la materia en movimiento.

01. Serie SIL-LEPSIS. Accident, 1981

02. Serie SIL-LEPSIS. Balç, 1981

03. Serie SIL-LEPSIS. Passadís, 1981

04. Serie SIL-LEPSIS. Urbs, 1981

05. Serie SIL-LEPSIS. Miró, 1981

06. Serie SIL-LEPSIS. Dolmen, 1983

07. Serie SIL-LEPSIS. Òrbita, 1981

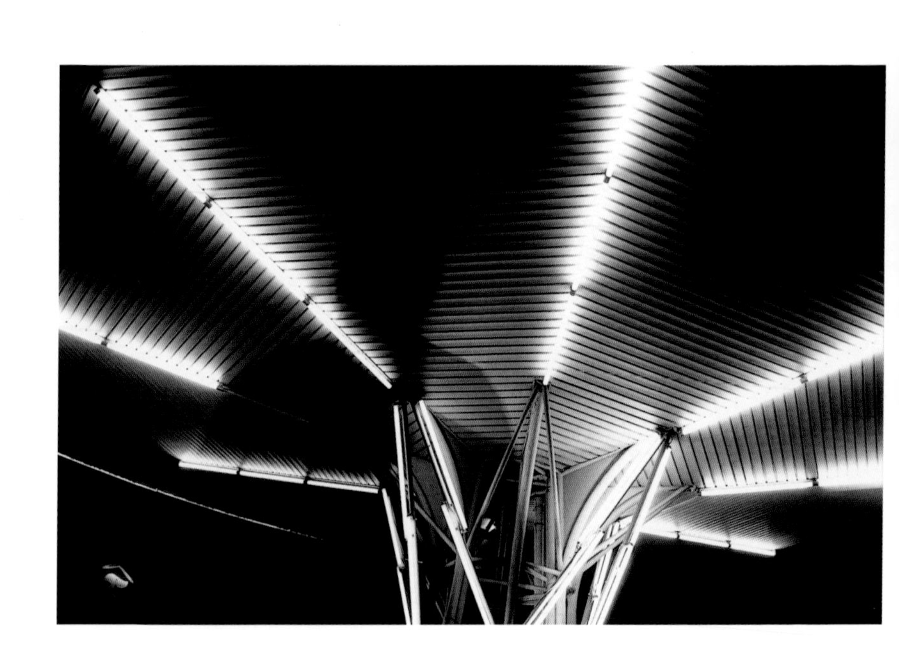

08. Serie SIL-LEPSIS. Vogi, 1981

09. Serie SIL-LEPSIS. Hàbitat, 1981

10. Serie NAUS. Àpex, 1983

11. Serie NAUS. Empordà, 1984

12. Serie NAUS. Quest, 1990

13. Serie NAUS. Ull, 1983

14. Serie NAUS. Porta d'Aigua VI, 1989

15. Serie NAUS. Norai, 1983

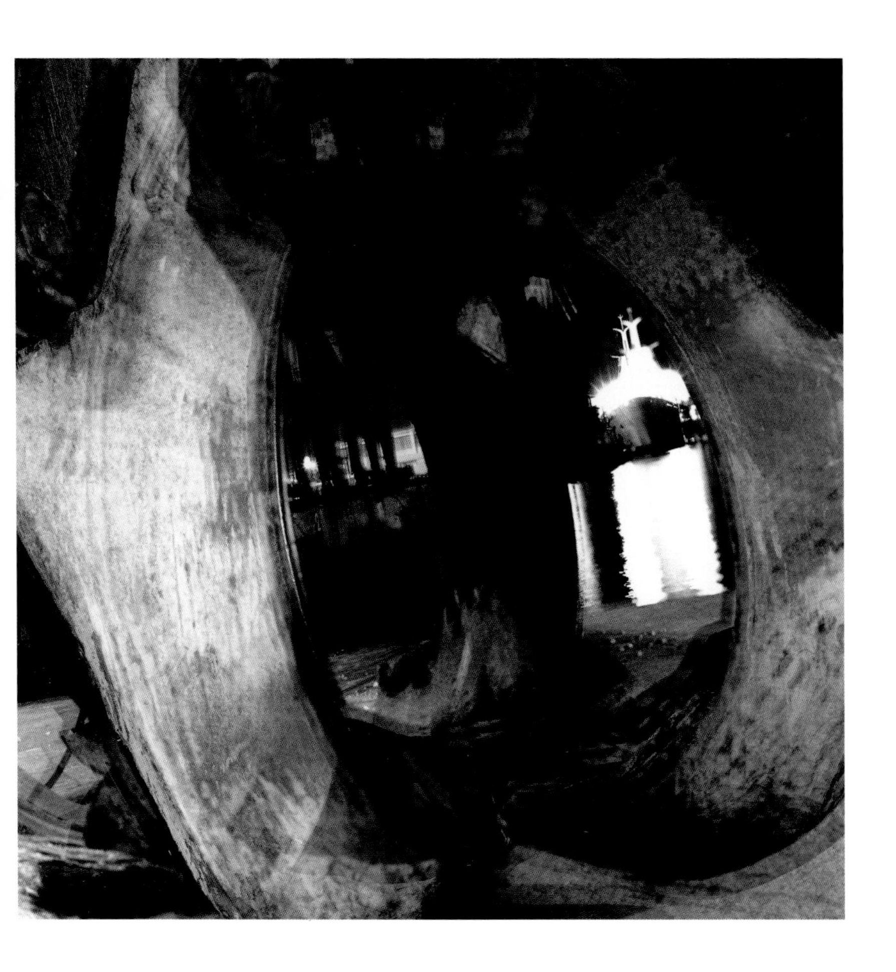

16. Serie NAUS. Porta d'Aigua X, 1989

17. Serie NAUS. Assossec, 1983

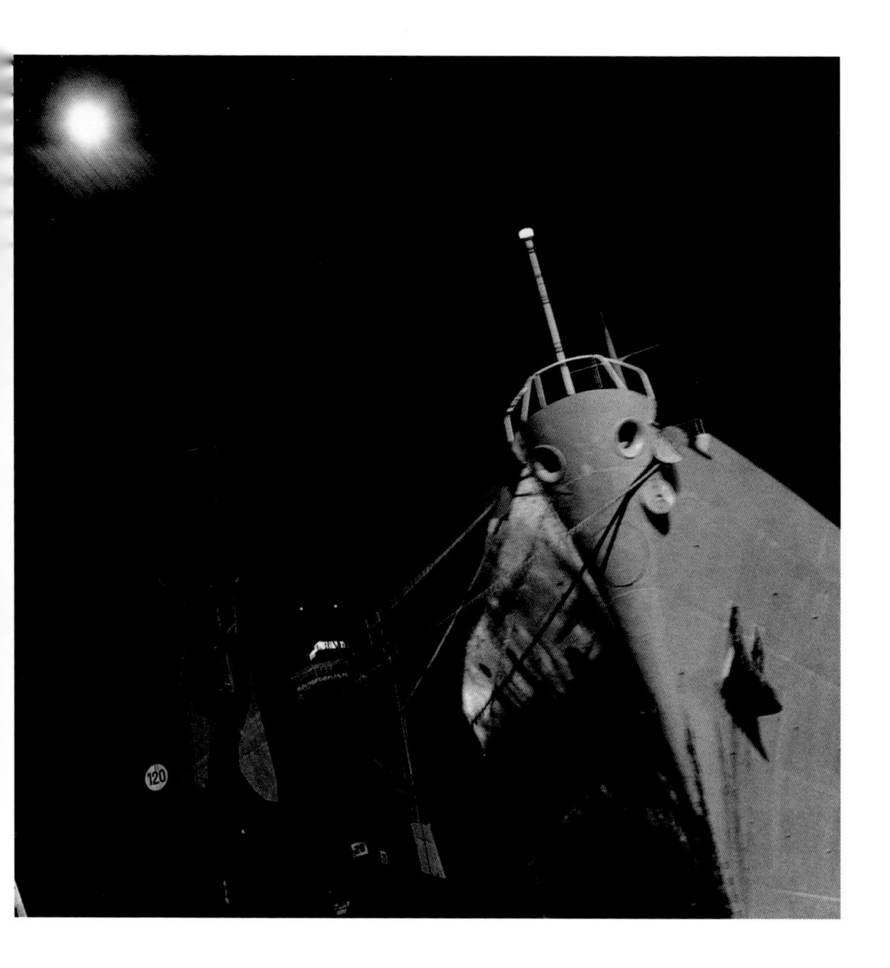

18. Serie NAUS. Flux, 1984

19. Serie NAUS. Naufragi, 1984

20. Serie AQUARIANA. AQXXIII, 1988

21. Serie AQUARIANA. AQXXVII, 1989

22. Serie AQUARIANA. AQXXIII, 1988

23. Serie AQUARIANA. AQXXXVI, 1988

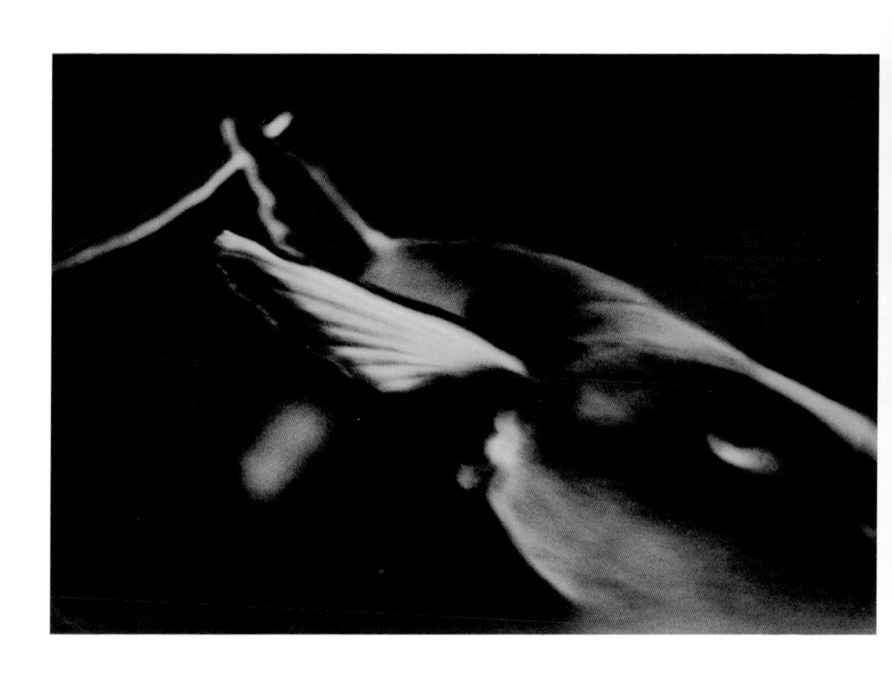

24. Serie AQUARIANA. AQV, 1986

25. Serie AQUARIANA. AQXXIV, 1988

26. Serie AQUARIANA. AQXVIII, 1988

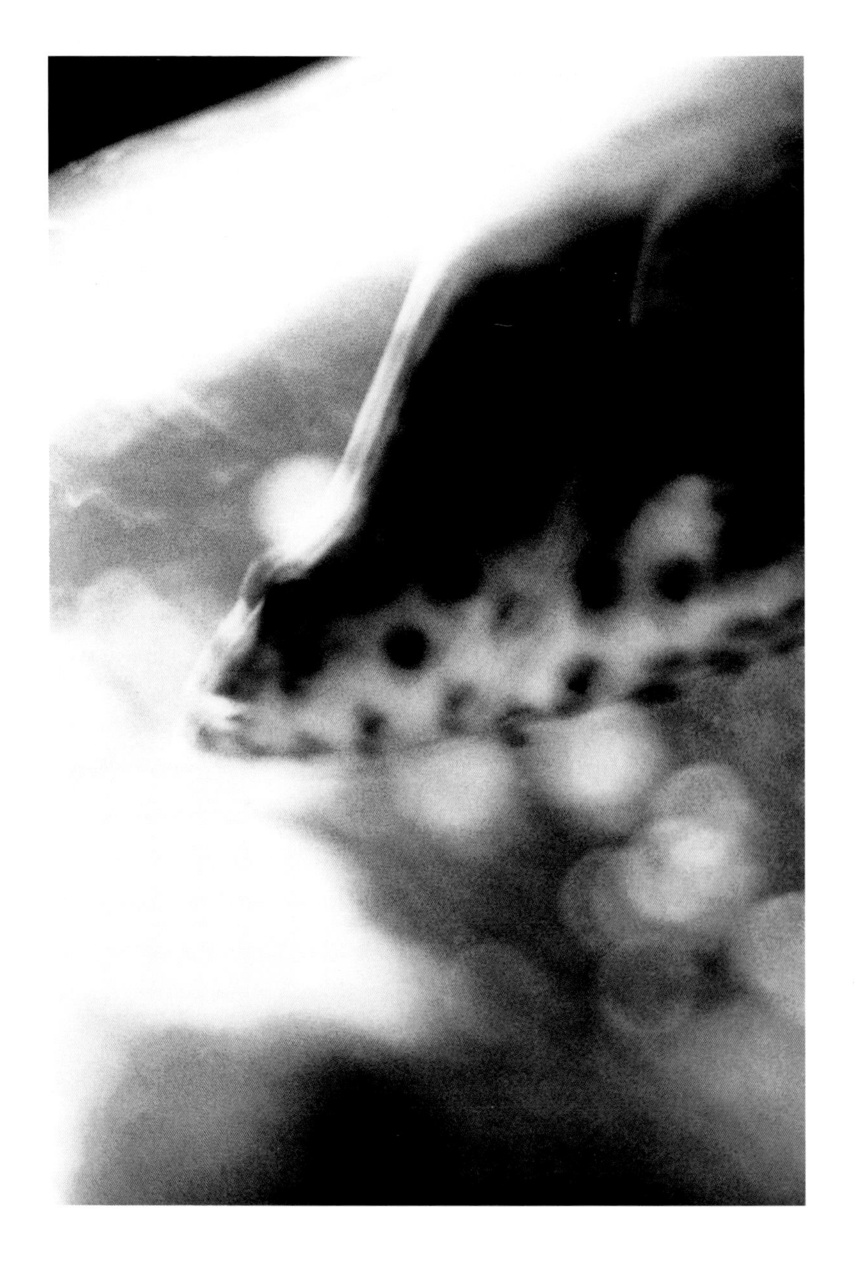

27. Serie AQUARIANA. AQXXXV, 1989

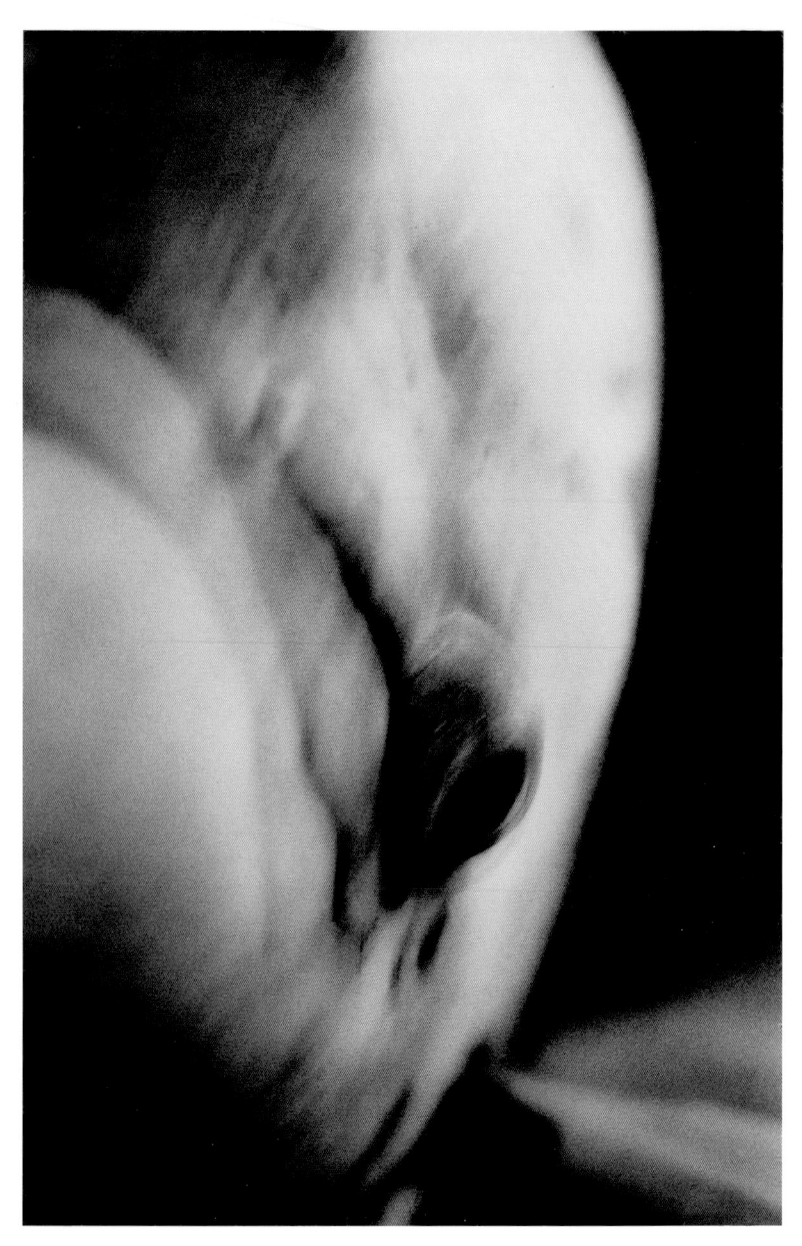

28. Serie AQUARIANA. AQXIV, 1988

29. Serie AQUARIANA. AQIX, 1987

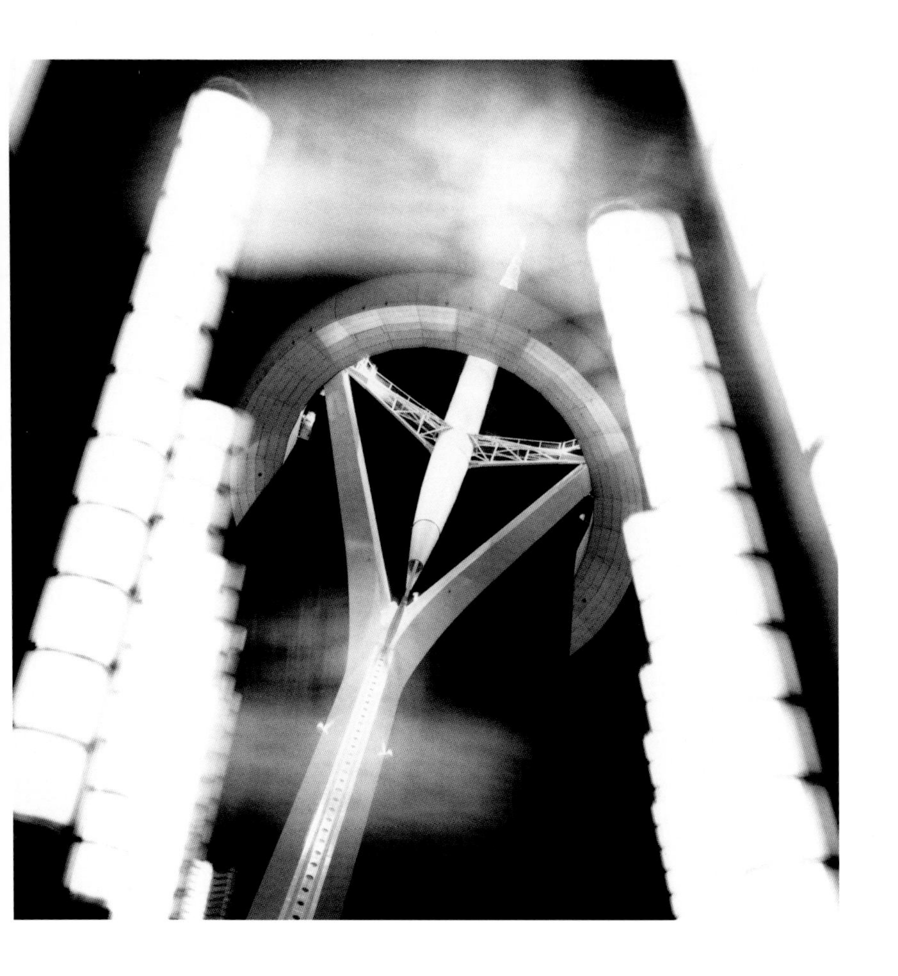

30. Serie URBS DE NIT. Barcelona ciutat imaginada II-039, 1993

31. Serie URBS DE NIT. Barcelona ciutat imaginada I-079, 1989

32. Serie URBS DE NIT. Barcelona ciutat imaginada I-082, 1989

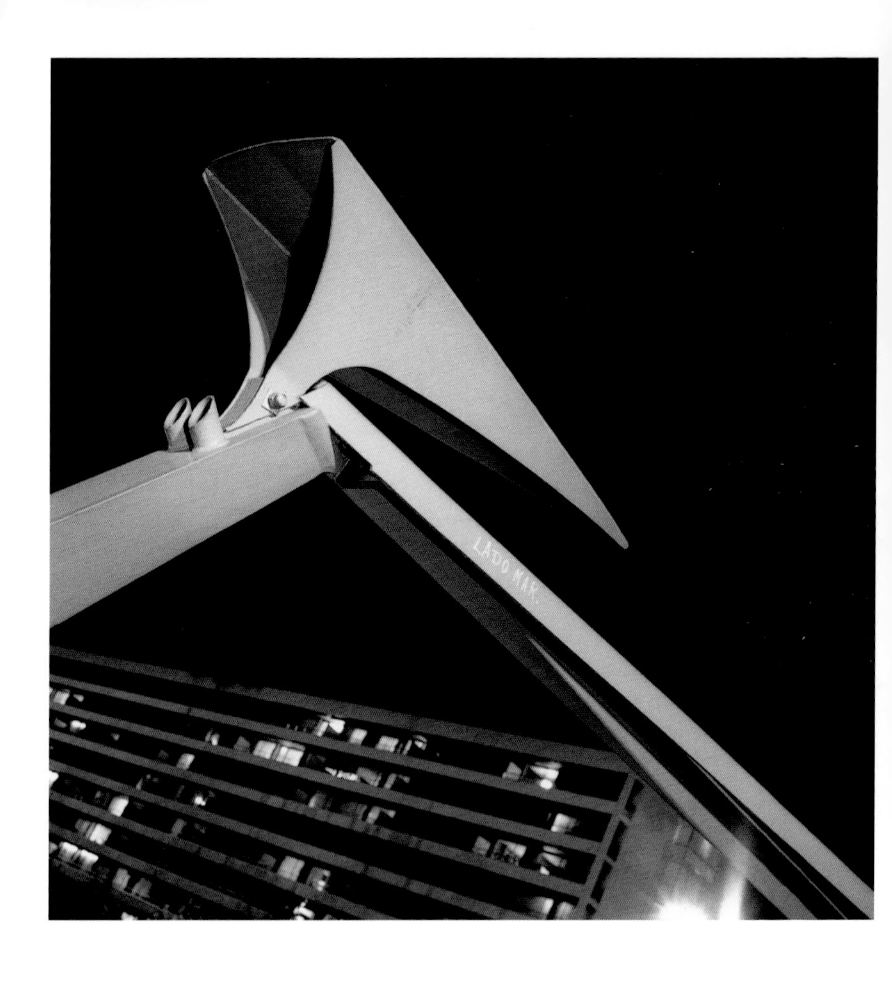

33. Serie URBS DE NIT. Barcelona ciutat imaginada I-059, 1989

34. Serie URBS DE NIT. Barcelona ciutat imaginada I-067, 1988

35. Serie URBS DE NIT. Barcelona ciutat imaginada II-032, 1985

36. Serie URBS DE NIT. Barcelona ciutat imaginada I-081, 1989

37. Serie URBS DE NIT. Barcelona ciutat imaginada I-071, 1988

38. Serie URBS DE NIT. Barcelona ciutat imaginada II-035, 1993

39. Serie URBS DE NIT. Buenos Aires 02, 1996

40. Serie URBS DE NIT. Castells de la Safor III, 1991

41. Serie URBS DE NIT. Barcelona ciutat imaginada II-017, 1993

42. Serie URBS DE NIT. Barcelona ciutat imaginada I-102, 1988

43. Serie URBS DE NIT. Alhambra VII, 1989

44. Serie TRENCADÍS. Trencadís X, 1992

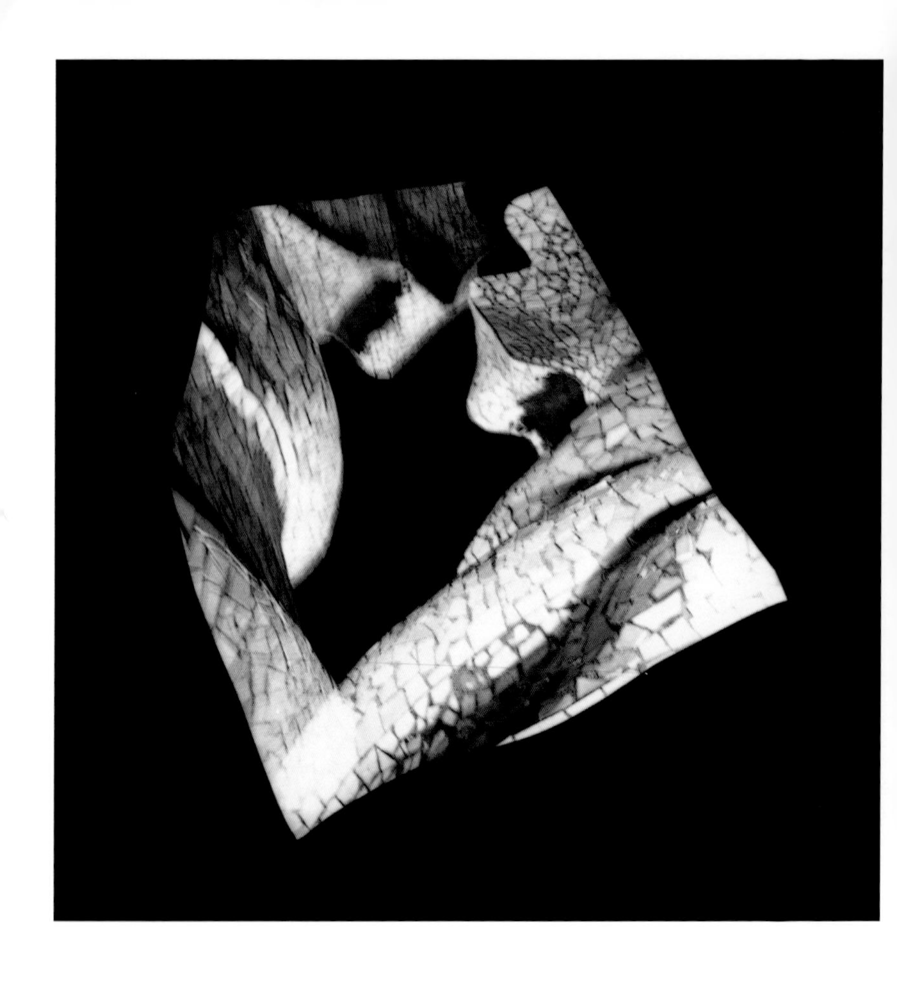

45. Serie TRENCADÍS. Flors de Claus II, 1992

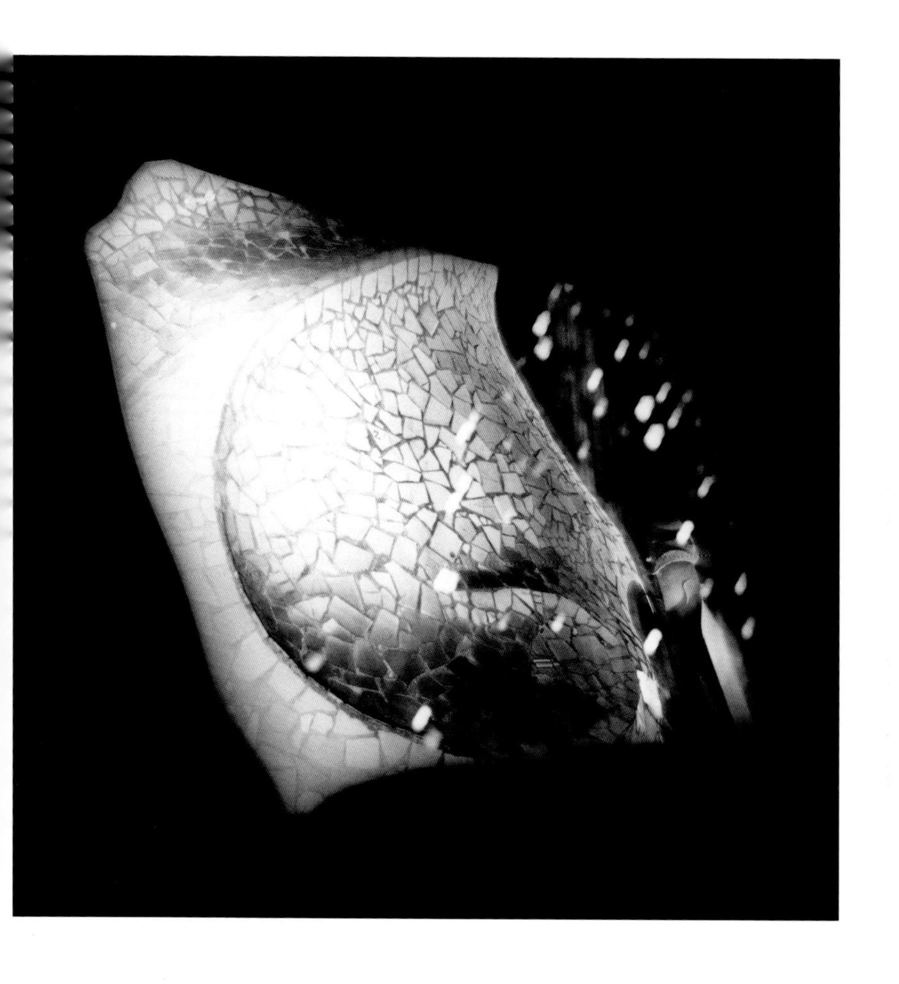

46. Serie TRENCADÍS. Trencadís IX, 1992

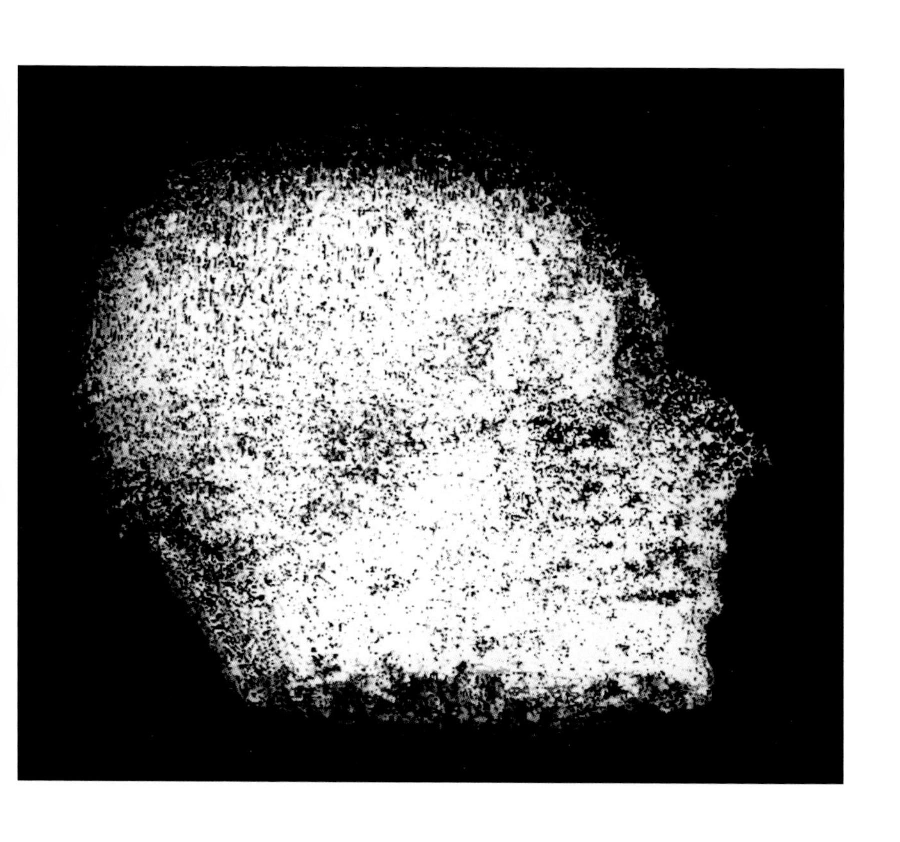

47. Serie SCANTAC. Núvols Obscurs II, 1995-2000

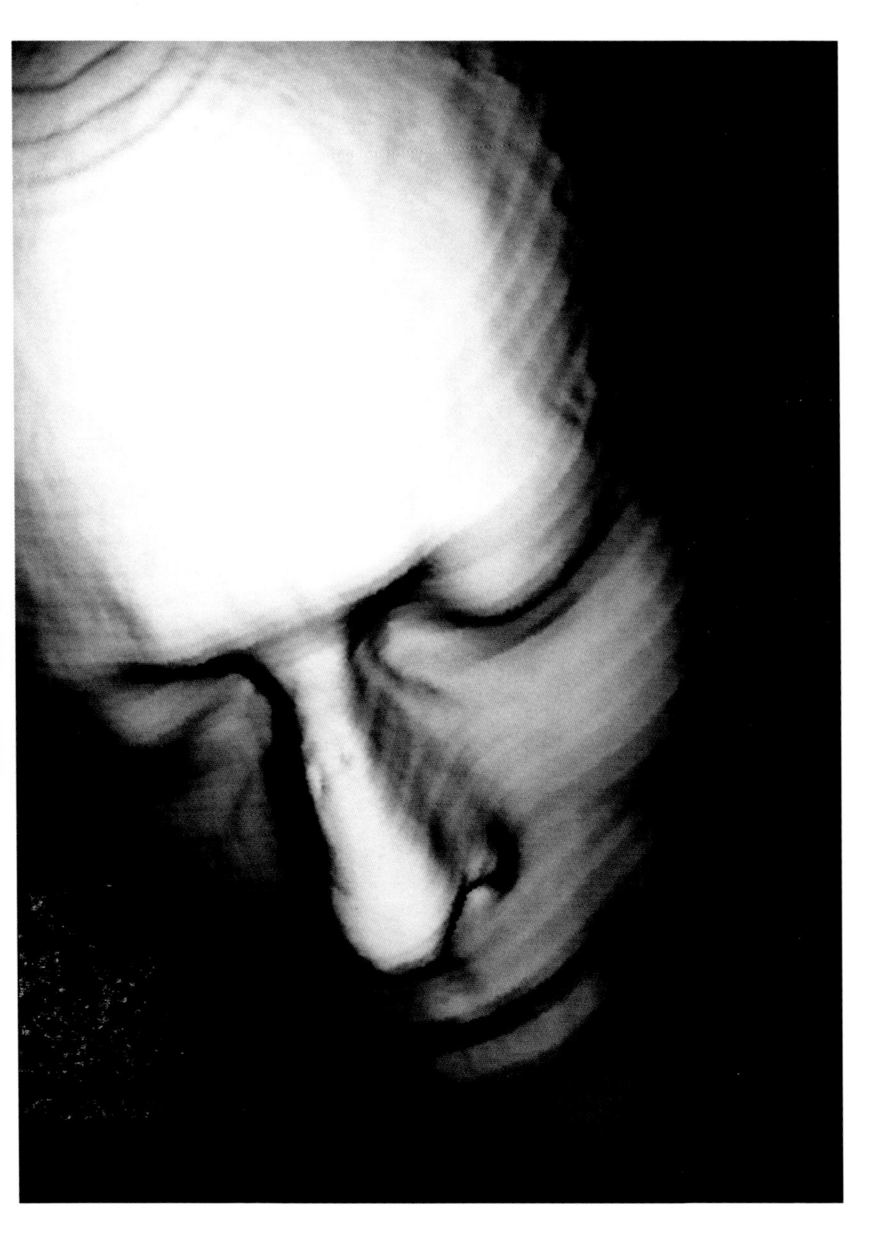

48. Serie SCANTAC. Retrat de paisatge interior VII, 1995-2000

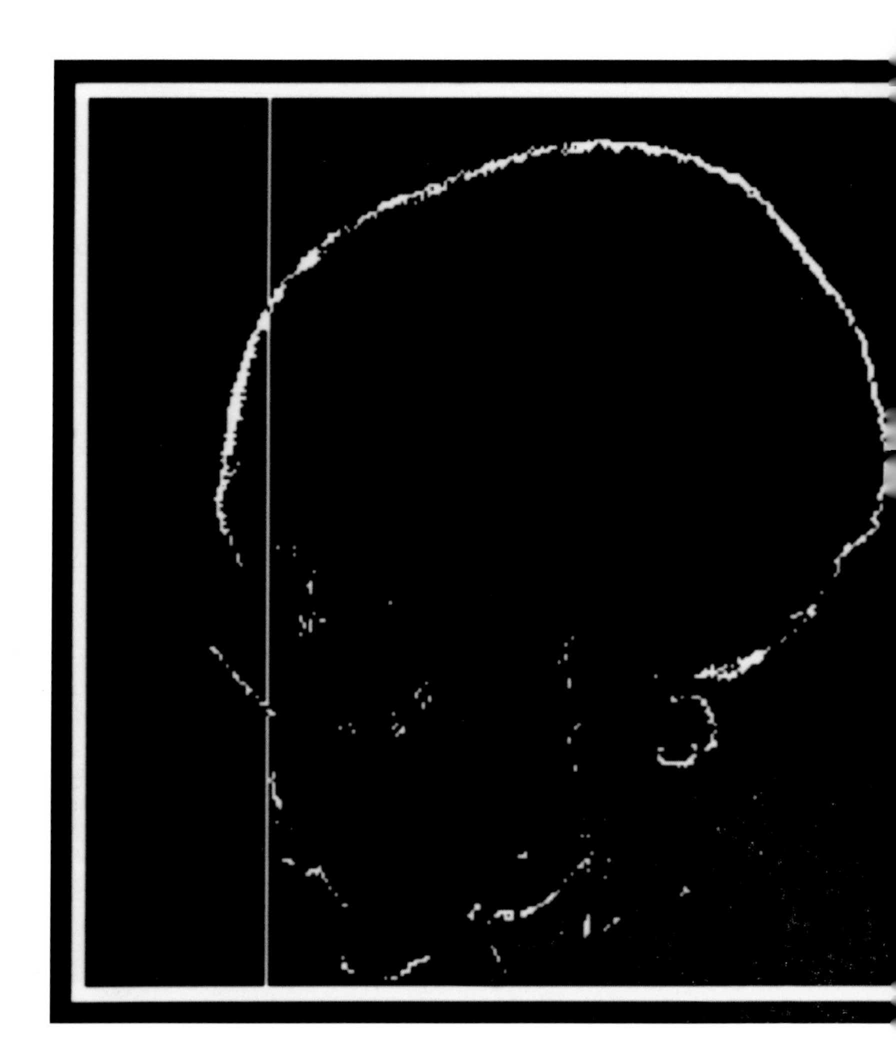

49. Serie SCANTAC. Retrat de paisatge interior III

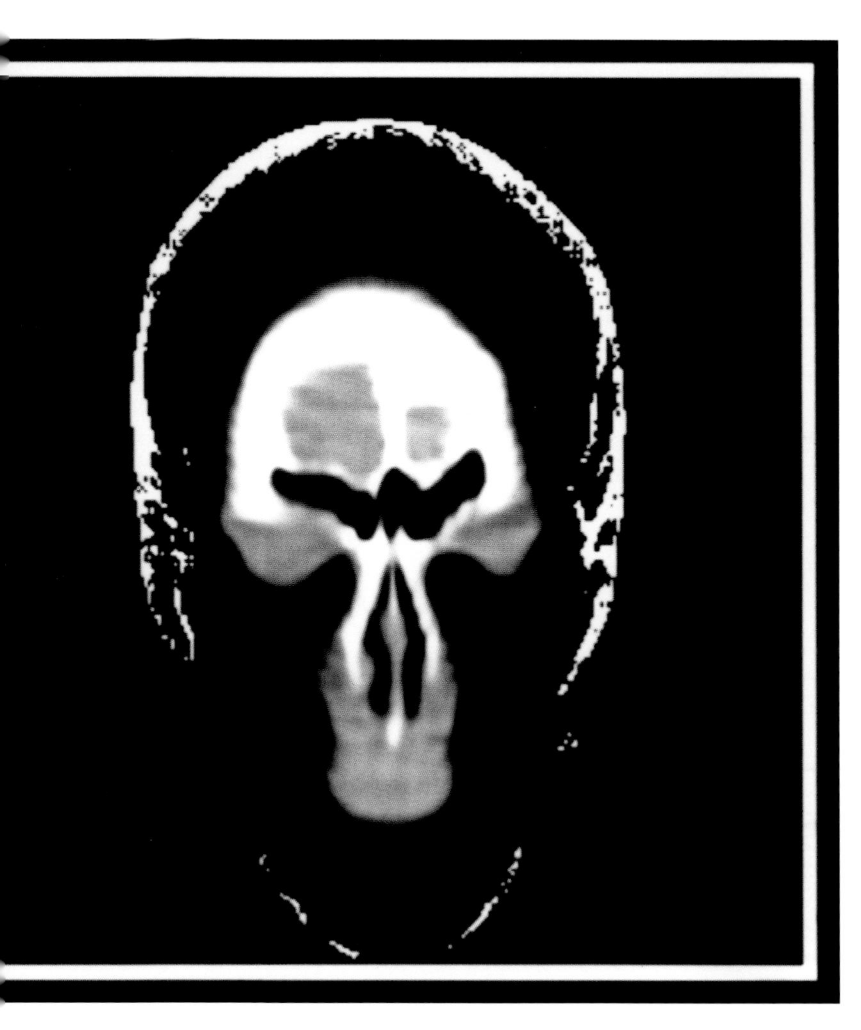

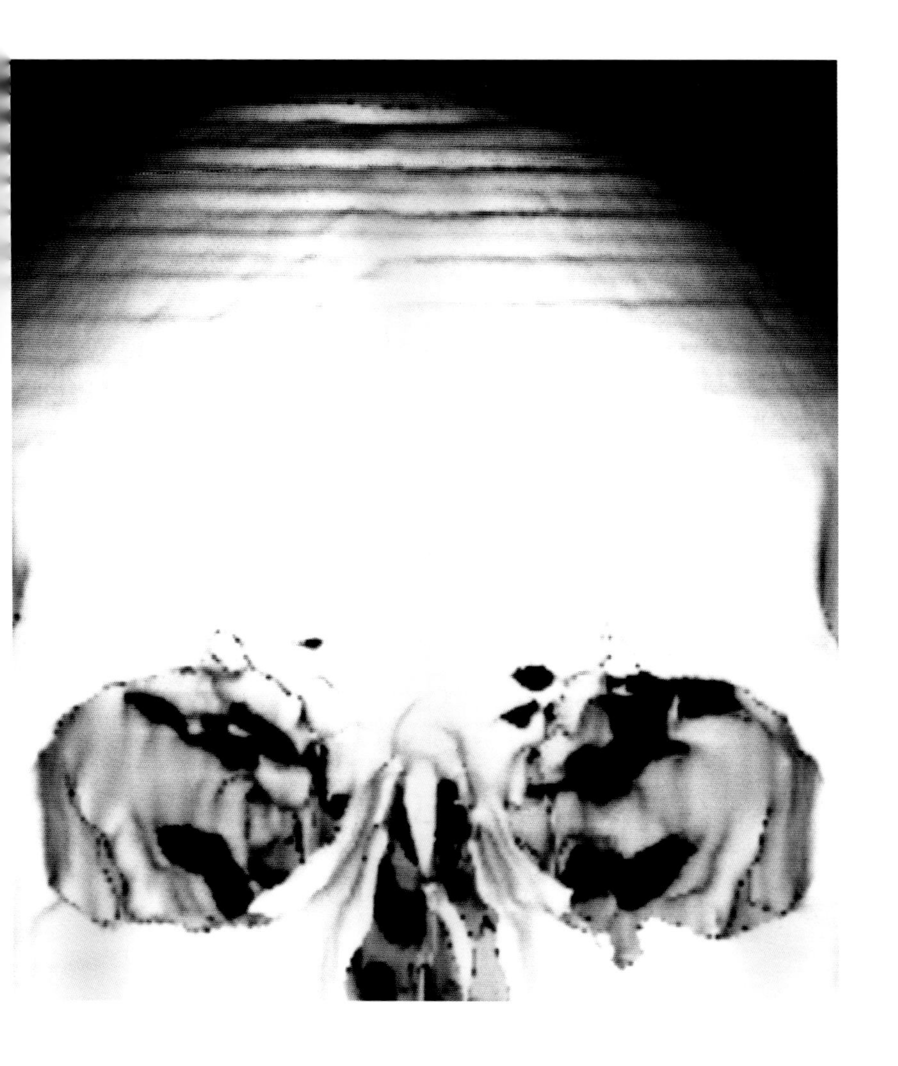

50. Serie SCANTAC. Krános VIII

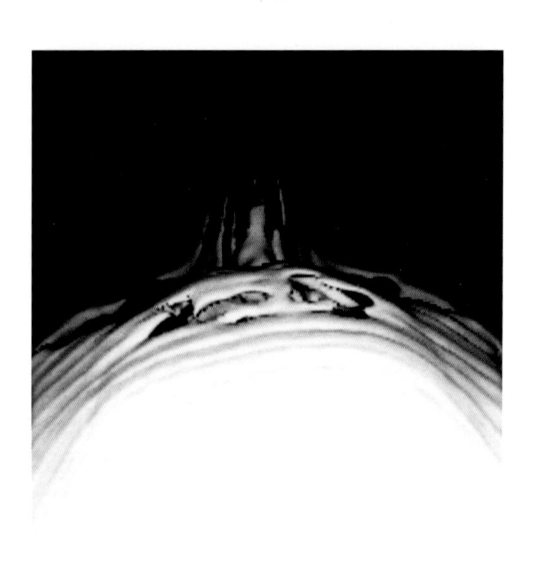

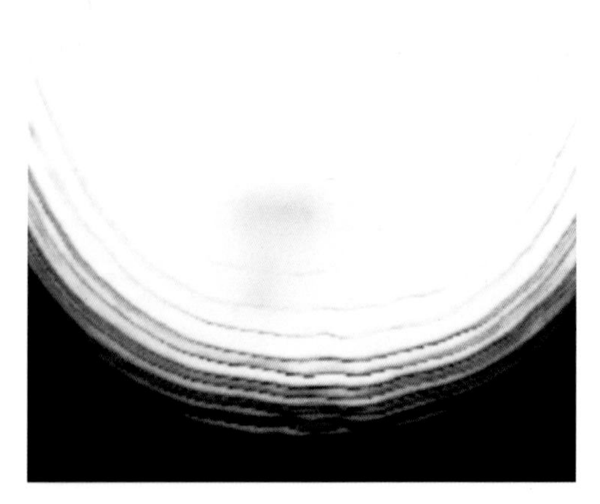

51. Serie SCANTAC. Krános IX

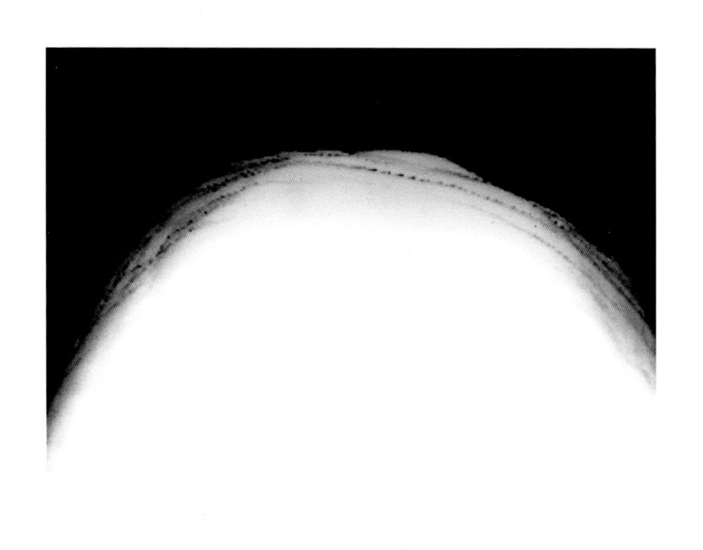

52. Serie SCANTAC. Krános IV

53. Serie SCANTAC. Krános III

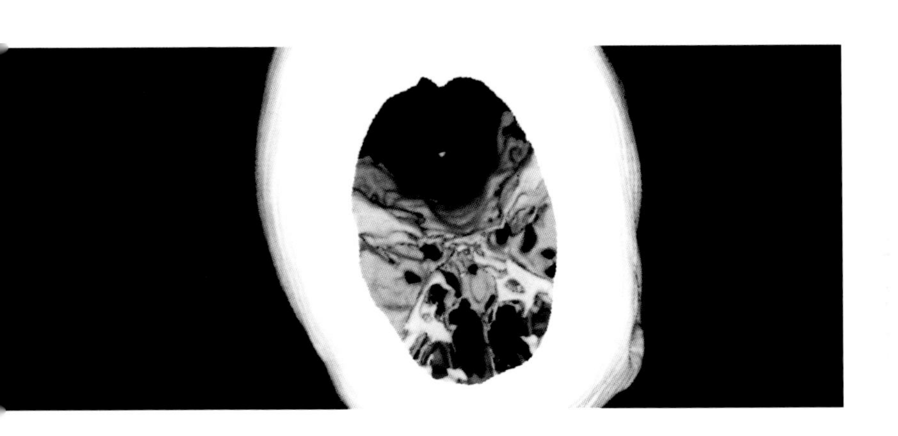

54. Serie SCANTAC. Krános V

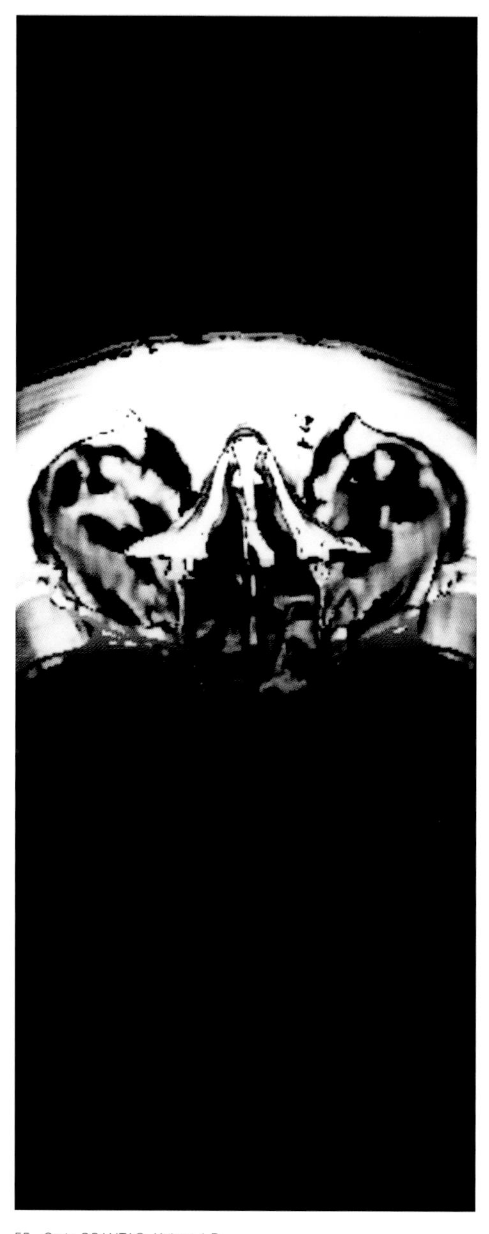

55. Serie SCANTAC. Krános I-D

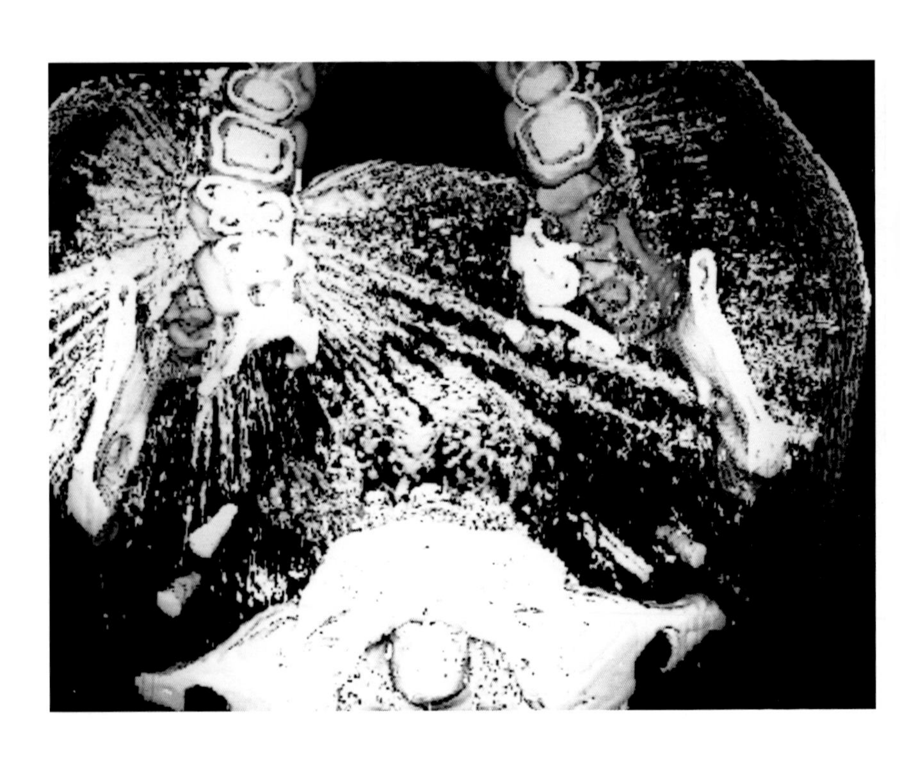

56. Serie SCANTAC. Barram III

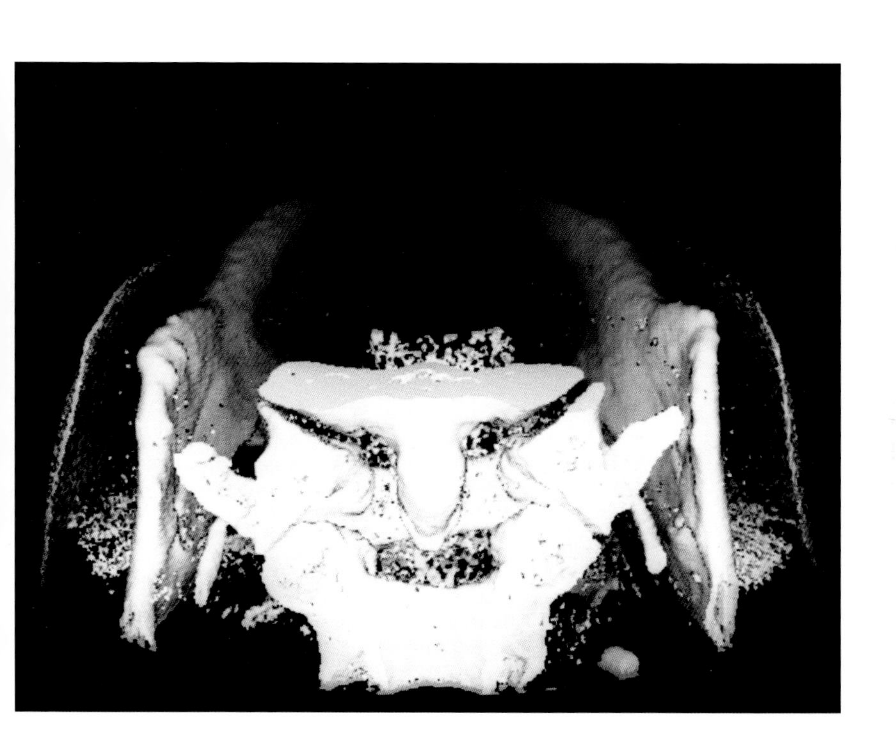

57. Serie SCANTAC. Barram V

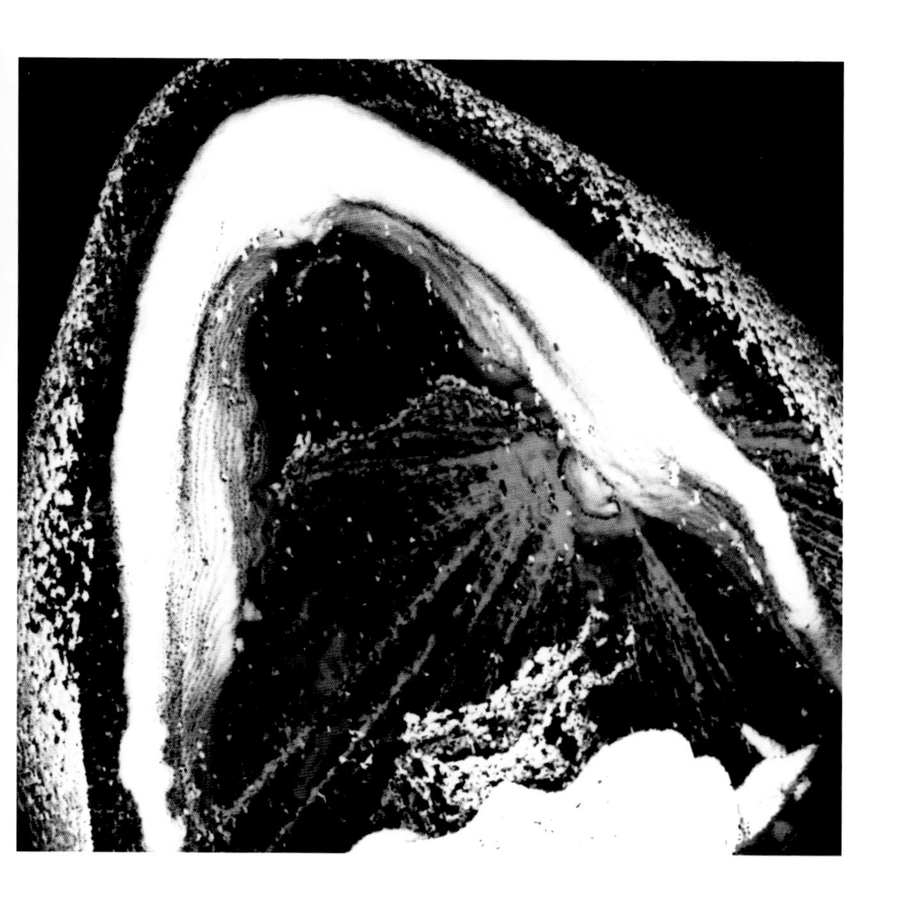

58. Serie SCANTAC. Barram II

59. Serie AIGUALLUM. Aiquallum, 2000

60. Serie AIGUALLUM. Aiquallum XIII

61. Serie AIGUALLUM. Aiquallum III

62. Serie AIGUALLUM. Aiquallum XV

Cronología

Manel Esclusa

Vic (Barcelona) 1952. Realiza sus primeras fotografías iniciado por su padre, fotógrafo profesional. Trabaja en fotografía comercial hasta 1972 en Vic.

Primera exposición de su obra personal en la Sala Aixelá de Barcelona en 1973.

Beca de la Dotación de Arte Castellblanch en 1973.

Asiste a los Stages Internationaux de Photographie de Arlés (Francia) en 1974.

Profesor de Fotografía desde 1975. Actualmente imparte clases de fotografía en la Escuela Eina y en el Institut d'Estudis Fotográfics de Catalunya. Barcelona.

Edición en 1988 del libro *Barcelona Ciutat Imaginada*, que recibe el Prix du Libre Photo 1988 del R.I.P., Arlés, Francia, y el Premi Laus-ADG FAD de Fotografía 1988, Barcelona.

Edición en 1994 del Libro/Catálogo *Aquariana*. Centro de Arte Palacio Almudí. Murcia.

En 1992 Edicións Tristán edita 25 ejemplares del libro/objeto *Flors de Claus*. Joan Brossa-Manel Esclusa.

La editorial Lunwerg edita en 2002 el libro *Silencis Latents* 1969-2002, una selección de su obra fotográfica.

Reside en Barcelona desde 1974.

Exposiciones individuales

1973 Sala Aixelá. Barcelona.
Temple Romà. Vic. Barcelona.

1974 Galería Spectrum. Barcelona.
Galería-Studio Keeler. Ibiza.

1975 Fang. Galería Spectrum. Barcelona.

1976 Galería Taller Mediterràni de Fotografía. Cadaqués. Girona.
Galería Tau. Sant Celoni. Girona.
Galería Spectrum. Ibiza.
Galería Yem. Alcoy. Alicante.

1977 Galería Spectrum-Canon. Zaragoza.

1978 Galería Tau. Sant Celoni. Girona.
Canon Photo Gallery. Amsterdam. Holanda.
Els ulls aturats. Galería Fotomanía. Barcelona.

1979 *Els ulls aturats*. Galerie Voir. Toulouse. Francia.
Gaudí. Galería Artema. Barcelona.
Els ulls aturats – Venecia. Galería Gurb 63. Vic. Barcelona.

1980 Círculo de Bellas Artes. Madrid.

1981 *Els ulls aturats*. Galería Spectrum Canon. Girona.
Els ulls aturats. Galería Il Diafragmma Canon. Italia.
Sil-lepsis. Galería Spectrum-Canon. Barcelona.

1982 *Sil-lepsis*. La Fontana d'Or. Girona.
Venecia – Sil-lepsis. Galería Spectrum-Canon. Zaragoza.
Sil-lepsis. Sala del Centro Cívico Municipal. Guadalajara.

1983 *Sil-lepsis*. Escola d'Arts i Oficis. Vic. Barcelona.

1984 *Naus*. Galería Reneé Metrás. Barcelona.
Sil-lepsis. Galerie 70. Berlín. Alemania.
Naus. Galería Forum. Tarragona.
Naus. Galería Spectrum. Zaragoza.

1985 *Sil-lepsis – Naus*. Galerie Junod. Lausanne. Suiza.
Naus. Nikon Gallery. Zurich. Suiza.
Naus. Galería Visor. Valencia.
Naus. Foco 85. Círculo de Bellas Artes. Madrid.
Naus. Galería Agorá. Turín. Italia.
Naus. *Les Nouveaux Imaginaires*. Europalia 85. Museé de la Photographie. Charleroi. Bélgica.
Naus. Galería Nueva Imagen. Pamplona.

1986 *Naus*. Galerie Les Somnambules. Toulouse. Francia.
Venezia – Sil-lepsis – Naus. Saa dos Peiraos. Vigo.
Naus. Galerie Frederic Bazille. Montpellier. Francia.
Naus. Museu d'Art Espai 3. Sabadell.
Naus. Palau Solleric. Palma de Mallorca.
Naus. Galerie Le Rebervère. Lyon. Francia.
Naus. Galerie Tensión. París. Francia.

1988 *Manel Esclusa 1972 – 1988*. Galerie Municipale de Château d'Eau. Toulouse. Francia.
Barcelona ciutat imaginada. Palau de la Virreina. Barcelona.
Aquariana. Museu da Zoología da Universidade de Coimbra. Coimbra. Portugal.

1989 *Barcelona ciutat imaginada*. Galerie Fnac. Grenoble. Francia.
Barcelona ciutat imaginada. Galerie Fnac. Bordeaux. Francia.
Aquariana. 1ª Biennale Internationale 1989. Niza. Francia.
Aquariana. Centre Culturel Brauhauban. Tarbes. Francia.
Aquariana. Galería Forum. Tarragona.
Barcelona ciutat imaginada. Galerie DB'S. Amberes. Bélgica.

1990 *Barcelona ciutat imaginada*. Maison de la Culture de l'Albigeois. Albi. Francia.
L'Eau et ses formes. Museum d'Histoires Naturelles. Tours. Francia.
Aquariana. Centro Musical Raquel Meller. Tarazona. Huesca.

Aquariana. Maison de la Culture. Amiens. Francia.
Figuracións a l'Espai. Espai 13. Fundació La Caixa. Vic. Barcelona.
Aquariana. Galerie Fnac. Marseille. Francia.

1991 *Aquariana*. Taula de Fotografía. Galería del Centre de Comerç. Tortosa. Tarragona.

1992 *Trencadís*. Galería Tristán Barberá. Barcelona.
Trencadís. Galerie Fnac. París. Francia.

1993 *Aquariana*. Temple Romà. Vic. Barcelona.

Barcelona ciutat imaginada. Images et Pages. Mèdiatheque Municipale. Llie. Francia.

1994 *Aquariana*. Centro de Arte Almudí. Murcia.

1995 *Naus*. Festival l'Image. Palais de Congrés. Le Mans. Francia.
Naus. Galería Visor. Valencia.

1996 *Barcelona ciutat imaginada*. Catalonia een Stukje Spanje in Casteelken. Casteelken Roeselare-Rumbeke. Bruselas. Bélgica.
Barcelona ciutat imaginada. Fondation Van Gogh. Arles. Francia.
Naus. Galerie Municipale. Bazille. Francia.
La Pedra, la Muntanya, l'Univers... . Variacións sobre un negatiu. Cava Canis. Galería Carles Taché. Barcelona.

1997 *L'Abre*. Arco 97. Galería Trama. Madrid.

1998 *L'Abre*. Sala H. Vic. Barcelona.

1999 *SCANTAC 1995-1998*. Galería Carles Taché. Barcelona.

2000 *Trencadís - Barcelona ciutat imaginada*. Eye-see Gallery. Aalst. Bélgica.
Trencadís - Barcelona ciutat imaginada. Eye-see Gallery. Bruselas. Bélgica.

2001 *SCANTAC*. Forum de l'Image 2001. Musée de l'Histoire de la Médecine. Toulouse. Francia.

2002 *Silencis Latents 1969 – 2002*. Centre d'Art Santa Mònica. Barcelona.

2003 *Silencios Latentes. 1969 – 2002*. Fotoencuentros 2003. Centro Cultural Las Claras. Murcia.
SCANTAC. Galería Forum. Tarragona.
SCANTAC. Galería Spectrum. Zaragoza.

2004 *SCANTAC*. H Associació per a les Arts Contemporànies. Vic. Barcelona.
Fotografíes. Galería Cadaqués 2. Cadaqués. Girona.

Exposiciones colectivas

1974 *Spanish Photographer's*. Spectrum Photogallery. Bruselas. Bélgica.

1975 *Fotografía catalana contemporánea*. Instituto de Cultura Hispánica. Madrid.
Foto Arte 75. La Fontana d'Or. Girona.
Foto Arte 75. Galería Gens. Tarragona.

1976 *Fotografía española*. Librería Fuenteovejuna. Toledo.
Sociedad Fotográfica de Guipúzcoa. San Sebastián.
Descubrimientos y Redescubrimientos. Photokina. Colonia.
Congrés de Cultura Catalana. Casal de Catalunya. París. Francia.

1977 Grup Alabern. Galerie de l'Instant. París. Francia.
Regard discret sur Oniris. Galerie Arpo. Toulouse. Francia.
Grup Alabern. Galería La Tralla. Vic. Barcelona.
Fotografía Fantástica en Europa. Museo de Arte Contemporáneo Español. Madrid.
Grup Alabern. Galería Altri Inmagini. Roma. Italia.
Nueve fotógrafos catalanes. La Photogalería. Madrid.

1978 Sala de Cultura de la Caja de Ahorros de Navarra. Pamplona.
Junij 78. The Art Pavillion Artisticum Colegium. Sarajevo.
Alabern. La Llotja del Tint. Banyoles. Girona.
Fotografía Fantástica en Europa y USA. Fundación Joan Miró. Barcelona.
Fantastic Photography in Europe & USA. Hall Palais des Beaux Arts. Bruselas. Bélgica.
Fantastic Photography in Europe & USA. Lithuanian Photography Art Society. Vilnius. URSS.
35 Fotògrafs. Galería Procés. Barcelona.
Fotògrafs Catalans al carrer per la Llibertat d'Expressió. Col-legi d'Arquitectes de Catalunya. Barcelona.
Mostra Col-lectiva d'Art. Temple Romà. Vic. Barcelona.
Photographie Espagnole. Galerie Rencontres Internationales de la Photographie. Arles. Francia.
Fantastic Photography in Europe & USA. Fotoforum Gesamtthochschule. Kassel. Alemania.
Fotografía Española. Palacio de Cristal. Madrid.

1979 Sala Gótica de l'Institut d'Estudis Illerdenses. Lleida.
Fantastic Photography in Europe & USA. Massachusetts Institute of Technology. Boston. EEUU.
Tres fotógrafos españoles. Galería Yem Spectrum Canon. Alcoy. Alicante.
Exposición Límite. Spanish National Tourist Office. Nueva York. EEUU.

1980 *20 Photographes de Barcelona*. Galerie Frederic Bazille. Montpellier. Francia.
Tentoonstelling: Venezia. Canon Photo Gallery. Amsterdam. Holanda.
20 Photographes de Barcelona. Centre d'Art Contemporain. Chatereaux. Francia.
20 Photographes de Barcelona. Galerie Arlogos. Nantes. Francia.
Autorretratos. Galería Fotomanía. Barcelona.
Spanish Photographer's. The Minories Gallery. Londres. Inglaterra.
Spanish Photographer's. Edimburg Society. Edimburgo. Escocia.
Homenatge a Man Ray. Galería Eude. Barcelona.
Fotografía catalana actual. La Llotja. Mallorca.

1981 Mostra Col-lectiva. Museu Molí Paperer. Capellades. Girona.
Fotografía catalana. Institut d'Estudis Nord-Americans. Barcelona.
Fotografía catalana actual. Museo de Granollers. Granollers.
Fotografía catalana actual. Temple Romà. Vic. Barcelona.
II Coloquios Latinoamericanos de Fotografía. México DF. México.

1982 *Fotografía catalana actual*. Sala de la Caixa de Barcelona. Manresa.
Arteder 82. Feria Internacional de Muestras de Bilbao.
Fotografía catalana actual. Sala de Cultura de la Diputación. Girona.
13 fotógrafos contemporáneos españoles. Salao Fuji. Sao Paulo. Brasil.

1983 *Fotografía catalana*. Centre Cultural de la Caixa de Terrassa. Terrassa.
New B/W Westeuropean Photography. Northeastern University Art Gallery. Boston. EEUU.
259 Imágenes – Fotografía actual en España. Círculo de Bellas Artes. Madrid.
New B/W Westeuropean Photography. Center of Photography. Houston. EEUU.

1984 *Fotografía catalana*. Sala Parpalló. Valencia.
Fotografía española. Pinacoteca Nacional. Atenas. (Gracia).
New B/W Westeuropean Photography. L. A. Center of Photography Research. Los Angeles. EEUU.

1985 *Nits*. Sala d'exposicións de la Fundació La Caixa. Barcelona.
Una journée en Europe. Europalia 85. Gare Centrale. Bruselas. Bélgica.
Clixés d'Amour. La Chambre Claire. París. Francia.

1986 *Fotoplín*. Área de Cultura de la Diputación Provincial. Málaga.
Thèâtre des Realités. Caves Sante Croix. Metz. Francia.
La Fotografía en el Museo. Museo Español de Arte Contemporáneo. Madrid.
Thèâtre des Realités. Palais de Tokio. París. Francia.
Six Monuments en quête d'Auteaurs. CNMHS. Hôtel de Sully. París. Francia.
La Nuit. Galerie Samia Saouma. París. Francia.

1987 *After Franco*. Marcuse Pfeifer Gallery. Nueva York. EEUU.
Del Bell al Sinistre. Fundació Caixa de Barcelona. Barcelona.
Haute Sensibilité. Galerie d'Art Contemporain du Centre St. Vincent. Herblay. Francia.
Del Bell al Sinistre. Sala Caixa de Barcelona. Tarragona.
Photomontage in Spain. Lieberman & Saul Gallery. Nueva York. EEUU.
Spanish Photomontage. Photographer's Gallery. Londres. Inglaterra.

1988 *Photographie Européen*. Club Mediterranée. Gregolimano. Grecia.
50 photographes á Gregolimano. Galerie FNAC Montparnasse. París. Francia.
Nos 80. 3ª Fotobienal. Antiguo Banco de España. Vigo.
La Photographie Contemporaine Espagnole 1968 – 1988. Musée Cantini. Marsella. Francia.

1989 *10 fotógrafos españoles*. Palacio de Sástago. Zaragoza.
10 fotógrafos españoles. Monasterio de Veruela. Zaragoza.
Creació Fotográfica a Espanya 1968 – 1988. Centre d'Art Santa Mònica. Barcelona.
Alhambra. Últimas miradas. Palacio Carlos I. La Alhambra. Granada.
Porta d'Aigua. Sala Arcs. Barcelona.
Spanish Eyes. A look at contemporary photo from Spain. Clarence Kennedy Gallery. Cambridge. Inglaterra.
Le choix des Sens. Salle de Musée Botanique. Bruselas. Bélgica.

1990 *L'Abime*. Centre d'Art Contemporaine. Bruselas. Bélgica.
New York – Catalonia 1990. Armory, 68. Lexington. Nueva York. EEUU.
To be and not to be. Centre d'Art Santa Mònica. Barcelona.
Corps de L'Image. Fons Regionale d'Art Contemporain de Champagne-Ardenne. Francia.
Spanish fine art photography. The Special Photographer's Company. Londres. Inglaterra.
Diez Fotógrafos Españoles. Casa de España. Utrecht.
Selected Works. The Special Photographer's Company. Londres. Inglaterra.
Photographes Catalans. Thèâtre de l'Ágora. Evry. Francia.
Tirant lo Blanc. Palau Ducal de Gandía. Gandía. Valencia.
Tirant lo Blanc. IVAM. Valencia.
Polaroid 50 x 60. Escola Masana. Barcelona.

1991 *Tirant lo Blanc*. Casa Elizalde. Barcelona.
En Bateau. Palais de Tokio. París. Francia.
Cuatro direcciones. Fotografía Contemporánea Española 1970-1990. Museo Reina Sofía. Madrid.

1992 *Astilleros del ayer al hoy*. Museo de Arte Contemporáneo. Madrid.
Musa Museus. Fotògrafs Contemporanis als Museus de Barcelona. Palau de la Virreina. Barcelona.
Astilleros del ayer al hoy. El Born. Barcelona.
En avión. Palais de Tokio. París. Francia.
Cuatro direcciones. Escuela de Arte y Oficios. Almería.
Cuatro direcciones. Eglise de Ste. Anne. Montpellier. Francia.
Cuatro direcciones. Centre Sa Nostra. Palma de Mallorca.
Cuatro direcciones. Lousiana Museum. Humleback.
Bibliografía Contemporánea. Galería Tristán Barberà. Barcelona.
Première Photo. Galerie du Jour Agnès B. París. Francia.
Recorridos fotográficos ARCO 92. Palacio Revillagigedo. Gijón.
La Fotografía en l'Art Contemporàni Espanyol. Deixeu el balcó obert. Sala Catalunya de la Fundació La Caixa. Barcelona.

1994 *Barcelona a vol d'arista*. Centre de Cultura Contemporánea de Barcelona. Barcelona.
Any Minute Now, Something Will Happen. Galerie DB'S. Amberes.
Alegoría de la fotografía. Galería Alejandro Sales. Barcelona.
Entre la pasión y el silencio. Abedie de Mountmajour. Arles. 25 Rencontres Internationales de la Photographie d'Arles. Francia.
Historia viva. Fotografía española contemporánea. Salas Capitulares del Ayuntamiento. Córdoba.
Foto Arco. Recorridos fotográficos. Fundación NatWest. Madrid.

1995 *Entre la pasión y el silencio*. Palacio de Revillagigedo. Gijón.
Galería Trama. Barcelona.
Mediterránea, quatre sentits. Sala quatre estacions. Ayuntamiento de Barcelona. Barcelona.

1996 *L'Objectiu la Biblioteca*. Palau Moja. Barcelona.
Fons d'Art de la Generalitat de Catalunya. Centre d'Art Santa Mònica. Barcelona.
El retrato fotográfico en España. Fundació Caixa de Catalunya. Barcelona.

1997 *Géneros y tendencias en los albores del siglo XXI*. Casa de Cultura de Alcobendas. Madrid.
Espejismos, ilusiones de la imaginación. Galería Spectrum. Zaragoza.
ARCO 97. Galería Trama. Madrid.
Espejismos, ilusiones de la imaginación. Photo Espagnole Contemporaine, Galerie Château d'Eau. Toulouse. Francia.

1998 *Fotografía española, un paseo por los noventa*. Instituto Cervantes. Roma. Italia.
30 Eines 1967 – 1997. Fons d'Art de la Fundació EINA. Centre d'Art Santa Mònica. Barcelona.
Tributos visuales para Cervantes. MACBA. Barcelona.
Géneros y tendencias en los albores del siglo XXI. Centro Cultural Casa Abadía. Castellón.

1999 *Fotografía española: Un paseo por los 90*. Sala Monasterio de San Clemente. Sevilla.

2000 *Art i Religió*. Galería Llucià Homs. Barcelona.
Introducció a la Historia de la Fotografía a Catalunya. Museo Nacional de Catalunya. Barcelona.

Introducció a la Historia de la Fotografía a Catalunya. Centro Cultural del Conde Duque. Madrid.

2001 *La nit eterna*. Sala Marià Fortuny. Reus.
Barcelona a vol d'artista. Sala dell'Instituto Cervantes. Roma. Italia.
El desnudo. Sala Bancaja. Fundación Caixa Castelló. Castellón.
El un fotogràfic. Fundació Caixa de Sabadell. Sabadell.

2002 *Gaudí: una visione poliedrica*. Instituto Cervantes. Milán. Italia.
Framents. Colección Rafael Fundación Rafael Tous d'Art Contemporani. M U A Museo de la Universidad de Alicante. Alicante.
Tempvs Fvgit. Galería Llucià Homs. Barcelona.
Un ruido secreto. Something Else Lab y Primavera Sound. Monestir de Sant Miquel. Barcelona.
Impacte Gaudí. Centre Cultural Sta. Mónica. Barcelona.
Antoni Gaudí. Una visión poliédrica. Museo Estatal de Investigación Científica de Arquitectura A.V. Schusev. Moscú. Rusia.
Mirar el mundo otra vez. Galería Spectrum Sotos.
25 años de fotografía. Lonja de Zaragoza. Zaragoza.
Antoni Gaudí. Eine polyedrische Vision. Munich. Alemania.
Antoni Gaudí: Una visión poliédrica. Centre Blanquerna. Madrid.

2003 *Antoni Gaudí: uma visâo poliédrica*. Museu Brasileiro da Escultura. Sâo Paulo. Brasil.
Antoni Gaudí: uma visâo poliédrica. Fundaçâo Clóvis Salgado. Belo Horizonte. Brasil.
Taché a Pelaires. Centre Cultural Contemporàni. Palma de Mallorca.
30 aniversari. Galería Cadaqués 2. Cadaqués.

2004 *Géneros y tendencias en los albores del siglo XXI*. Colección Pública de Fotografía del Ayuntamiento de Alcobendas. Sala Municipal de Exposiciones de San Benito. Valladolid.

Juan Bufill

Juan Bufill. Nace en Barcelona (19-XII-1955). Es poeta (*Subespecies humanas*, 1992), fotógrafo (desde 1998 exposiciones como *Escriptures naturals*, *La luz animal*, *SigNaturas*, *Umbrografies*, *Ficciones fotográficas*), autor de cine experimental (desde 1976), de vídeo y televisión (creador y guionista de la serie *Arsenal*, 1985-1986, director de *El viatge de Robert Wyatt*, 1987, y *Buñuel*, 1979-80), guionista de cómic, crítico de arte (*La Vanguardia*) y comisario de exposiciones.

Juan Bufill was born in Barcelona (19 December 1955). He is a poet (Subespecies humanas, 1992), photographer (with regular exhibitions since 1998 including *Escriptures naturals*, *La luz animal*, *SigNaturas*, *Umbrografies* and *Ficciones fotográficas*), maker of experimental films (since 1976), videos and television shows (creator and scriptwriter of the Arsenal series, 1985-86, director of *El viatge de Robert Wyatt*, 1987, and *Buñuel*, 1979-80), scriptwriter for comics, art critic (La Vanguardia) and an exhibition curator.

Manel Esclusa
The night moves
Juan Bufill

Darkness as source, home to apparitions; light takes on shapes, the solid dissolves. The language of poetry seems appropriate for discussing Manel Esclusa's photography. If his form of expression is poetic (in other words, a creative and innovative idiom that celebrates the beauty of mystery in musically composed rhythms, which in this case are visual), his poetics are also almost always nocturnal.

The night moves. This expression may come to mind upon seeing many of his photographs. (*Night Moves* is the title of a film directed by Arthur Penn that has little in common with the works of this Catalan photographer). Night is the temporal setting for most of Manel Esclusa's work, a temporal night, tending toward abstraction, that calls forth and dismisses apparitions. Often it is a deserted urban night, illuminated, mobile and therefore changing, an almost liquid, ethereal night in which solid objects can still be recognised and a luminous or still shady apparition can be discerned. Above all, it is a night in which time becomes visible.

I remember Manel Esclusa flowing through the nightlife of a Barcelona that had finally become modern, found at the beginning of the 1980s in bars such as Zigzag or Metropol and backed by a soundtrack including the Talking Heads, The Cure or Tom Waits. This image of Esclusa with his leather jacket and spectacular Harley-Davidson –his image then and now– does not seem in tune with his photographic oeuvre, in which an abstract, even mystical vision predominates and which expresses what is human although no person appears. His is an experimental, precursory work with a great influence on important artists and totally independent of photographic, artistic and aesthetic trends.

Esclusa's photographic night is neither anecdotal nor documentary; it is a subjective vision, simultaneously contemplative and futuristic (his photographs show no nostalgia for the past), a metaphor, a ship transporting us beyond the familiar.

Esclusa has usually expressed himself in photographic series, the majority with Catalan titles. His first series was *Git* (1969-1974), a title referring to the act of heaving that already included an image anticipating the *Scantac* series: a face that is a map covered with fractal ramifications. The photograph dates from 1970, and even then Esclusa, who at the time was working on photography applied to medicine, had devised something similar to the *Scantac* project.

Next came *Ahucs* (1972-1974), *Crisálides* (1974) and *Els ulls aturats* (1977-1978), three series of allegorical and somewhat hermetic staged photos, with references to the political context of dictatorship. In the 1980s Manel Esclusa produced his first internationally recognised work. He no longer sought mystery through staging but found it in exteriors that, once recreated, expressed interior experiences. Freed of the previous theatrical facet, he began to base his work on visible reality, light and shadows, photography's keystone. However, visible reality was transfigured, and his gaze became a metarealist vision.

Esclusa's initiation in or transition toward this new vision came about in the *Venezia* and *Sil.lepsis* series. In *Venezia* (1979), Esclusa began a temporal, nocturnal exploration using long exposures that made time visible by showing movement in stillness: the slight oscillation of a gondola on a street made of almost perfectly still water. Ships now appeared something else, as dark as their surroundings: coffins perhaps.

The *Sil-Lepsis* series (1979-1981) was based on a grammatical anomaly - a construction that only appears incorrect. This idea was visually translated into images that defied photography's standards of expression. Landscapes (both nocturnal and urban) are partially covered by human silhouettes and shadows that nevertheless lend intensity to the images. In one photo, a shadow is pierced by the surrounding architecture; in another, a moving head configures a shadow that is lighter than its still black body, which thus becomes dematerialised through movement in time. Several photos show traces of light from a flashlight or points of light transformed into straight lines by movement (perhaps of the camera itself).

In his next two series, Esclusa achieved not just a style but also an original vision, by discovering images in newfound places, images produced and constructed from the visible. *Naus* (1983-1996) was his first definitive move from the real to the unreal, from an external, recognisable world to a world of sleep and dreams, an internal experience and vision. Ships in dry dock and in the port of Barcelona appear large animals at night, whether dark or lighted up. The solid appears liquid or aerial. Movement expresses the passage of time, whether in a heartbeat or a tremor. There are ships that suggest a cetacean womb or a woman's sex and abyssal areas where the most concrete substance –metal– seems an incorporeal light. A pile of dirt next to a boat evokes the swells during a shipwreck.

Naus was presented in Barcelona's René Metras gallery in 1984. On the occasion of the exhibition, I proposed producing a video, an audio-visual by-product of the photographic series, to be shown on the "Estoc de pop" television programme. To prepare the script, I visited at night all the areas of the dry dock and port where Esclusa had taken his photos. Going down the metal steps leading to the bottom of the dry dock made me think of Dante and of a deep and damply infernal descent. The space and sounds I found below were more reminiscent of the film *Alien*. It was also strange to think of that exploration of the depths of this *esclusa* or canal lock as an unfathomable self-portrait of a photographer named Esclusa. (Coincidences between the artist's theme and surname are frequent in art history: Tàpies and his walls or *tapias*, the many eyes found in Miró's paintings, Bacon's amorphous flesh, etc.). That vast damp yet airy space below sea level, a refuge for large ships, made me uneasy. Lighted drops were falling, there were fire-filled drums and the whole thing recalled the skeletal belly of a large monster, a metal giant.

This mythological and epic facet exists in several of the photos in *Naus*, but another subtler aspect is much more important: the relationship between movement and stillness and the underlying vision of time and matter or of matter in time. The motif and setting already suggest these themes: the ship's immobility and its solidity once out of the water. Esclusa's compositions play with this coexistence of solid and fluid, but the contrast becomes fusion, the dissolution of what is solid. This is the photographer's greatest contribution: a magical erasure of opposites that enables him to take photos such as "Apex", where the same ship is simultaneously clearly defined and out of focus, still and trembling, real and unreal, concrete and phantasmagorical. The secret of this "magic" is Esclusa's method: two ways of taking photographs within the same photo, and the act itself, a long act, of shooting with a long exposure (and no laboratory tricks).

The image shows how the numbers painted on the ship tremble and the boat's slight oscillation in the water, but in one area, the texture of painted metal shines very clearly. Esclusa achieved this inexplicable clarity by very briefly lighting just this area with a flash. The result is that here time is not visible and the image is a snapshot, whereas in the rest of the photo everything is trembling and fluid. Photos in *Naus* are true anti-snapshots; photographic durations in which passing time works to transform or dissolve forms and becomes visible. The abyss is also temporal.

Heraclitus and Plato would have marvelled at these images, but when viewing Esclusa's next series –new steps into the abyss– I think more of the mystical vision of St. John of the Cross. In the visions in *Aquariana* (1986-1989), aquarium fish are seen as abyssal animals of light. Their movements are fluid, yet enclosed. The colours, produced by applying anilines to black and white and then taking a colour shot - are nocturnal, unreal, caught on the frontier between black-and-white and colour, and the figures also appear to be on a border: that leading to erasure, disappearance. They hint at dissolution.

An aquarium also remits to the subconscious, to what is hidden and locked up, yet some of the fish also show strange, entertaining and almost human "faces" that recall dynamic human beings who are also locked up in their homes and workplaces.

At this point, it seems useful to note two basic biographical facts that explain Esclusa's fascination with darkness and its apparitions within time. The first is that as a child Manel used to accompany his father, an amateur speleologist, to some caves close to Vic, his city of birth. When they reached dangerous passages, the child was left waiting in a cavern, safe but alone in the dark. The future photographer was given a flashlight, which he would focus on the stalactites to illuminate them and fantasise about the shapes that took form during this silent wait. Home to apparitions, darkness as source.

The second fact is that his father was a photographer and in his laboratory the child also saw how images were slowly born out of a darkness that was no longer negative (producing magic instead of fear) in a creative, literally positivising time.

Esclusa also applied this vision to his nocturnal urban landscapes in *Urbs de nit* (1984-1996), which included those from the book *Barcelona, ciutat imaginada* (1988). After the night in *Naus*, more dreamlike and metaphysical than that corresponding to a port, and after the subaqueous, subconscious night of *Aquariana*, this series shows an urban night, illuminated and deserted, in which the photographer endows the quotidian yet new image of modern architecture and urbanism with a mythical, mysterious or futuristic mood. Esclusa expresses the flashes and trails of moving light, the aura of solid forms, the unfolding of shadows and contours, and the abstract dance of shades of grey.

The *L'Arbre* series (1991-1998) is an exception due to its use of colour, whereas in *Trencadis* (1992), the photographer paid homage by working in the fashion of Gaudi and Jujol. He tore up different nocturnal images of Gaudi architecture and motifs and then recomposed them in a mosaic of bits of photographs. His experience with ephemeral photography *Figuracions a l'espai* (Fundació Joan Miró, 1990) was very interesting, a photographic action-installation in which the architecture of the room, with sensitive unexposed paper walls, was the support and the visitors to the exhibition the figures in the photo, first as shadows fixed by light and a painted developing agent and then as live shadows projected by direct spotlights.

Scantac (begun in 1995) is based on Computerised Axial Tomography (CAT). This technology, designed for medical diagnosis to enhance X-rays with a digital representation, here becomes a plastic expression based on a vision that is both poetic and subjective while remaining objective and scientific. In *Scantac*, art and science meet and co-operate. The whole series of "self-portraits" of the photographer's head originates in an optical disc, a single photo that can be read in two-dimensional sections on different levels (different perspectives, distances and lighting). The result is a series of anatomical landscapes that verge on the cosmic, in which the human being can appear a darkened nebula. There are landscapes of bones illuminated in black, skulls like spaceships, tissues resembling galaxies, faces as dispersed atoms. Matter appears as light. The microscopic is similar to the macroscopic, man repeats the universe, the interior seems exterior, and what is private and nearby recalls what is far away.

Finally, in *Aiguallum* (begun in 2000) we find a similar figurative ambiguity that stimulates the imagination. At night, the forms taken by the illuminated water in Barcelona's very popular Montjuic fountains suggest different and –to use the Stieglitz term– almost equivalent realities: waves washing on sand, lighted stalactites, volcano lava, clouds or flowers of light. Here the absence of colour and the skewed anti-realist and expansive direction of the compositions, enhance the lack of definition or identification that Esclusa seeks in these images. The ensemble reveals the similarity of what is different as well as what unifies or can unify.

Manel Esclusa's contribution to the history, not just of photography, but of plastic arts, deserves being highlighted together with those of other artists who are still not sufficiently valued internationally: photographers such as Meatyard or Harry Callahan as well as experimental filmmakers such as Marie Menken, Stan Brakhage or Michael Snow, all of whom are masters, as is Esclusa, of the music of moving light and matter.

PHoto**Bolsillo**

Director de la Biblioteca PHotoBolsillo / Series Editor:
Chema Conesa

Diseño original / Original Design:
Grafica

Producción / Production:
Paloma Castellanos

Papel / Paper:
Burgo R4 Chorus Demi Mat de 150 gr/m² para interiores
y de 300 gr/m² para cubiertas. Distribuido por Ebix

Fotomecánica / Photomechanics:
Lucam

Impresión / Printer:
Brizzolis

Traducción de los textos / English Translation:
Susan Coombs

Alameda, 9
28014 Madrid
Tel.: 34 913 60 13 20
Fax: 34 913 60 13 22
e-mail: edicion@lafabrica.com
www.lafabricaeditorial.com

ISBN:
84-95471-88-4

Depósito legal:
M-9732-2004

Impreso en España / Printed in Spain

Una coedición entre / A Coedition Between:

Distribuido por Ebix

Biblioteca PHotoBolsillo

Títulos publicados / Already Published

01. Xavier Miserachs
02. Nicolás Muller
03. Humberto Rivas
04. Rick Dávila
05. Koldo Chamorro
06. Francesc Català-Roca
07. Carlos Pérez Siquier
08. Luis Pérez-Mínguez
09. Gabriel Cualladó
10. Javier Vallhonrat
11. Miguel Trillo
12. Pilar Pequeño
13. César Lucas
14. Fernando Gordillo
15. Agustí Centelles
16. Luis Baylón
17. Isabel Muñoz
18. José María Díaz-Maroto
19. Cristóbal Hara
20. Antonio Tabernero
21. Alberto García-Álix
22. Pablo Genovés
23. Clemente Bernad
24. Carlos Serrano
25. Ramón Masats
26. Oscar Molina
27. Cristina García Rodero
28. Pablo Pérez-Mínguez
29. Joan Fontcuberta
30. Navia
31. Ricard Terré
32. Fernando Herráez
33. Oriol Maspons
34. Jose Ignacio Lobo Altuna
35. Xurxo Lobato
36. Genín Andrada
37. Valentín Vallhonrat
38. Vari Caramés
39. Juan Manuel Díaz Burgos
40. Ferran Freixa
41. José Antonio Carrera
42. Manuel Vilariño
43. Kim Manresa
44. Rafael Navarro
45. Toni Catany
46. Luis Escobar
47. Marta Sentís
48. Chema Madoz
49. Ciuco Gutiérrez
50. Alberto Schommer
51. Ouka Leele
52. Manel Esclusa

Próximos volúmenes / To Be Published

53. Miguel Oriola

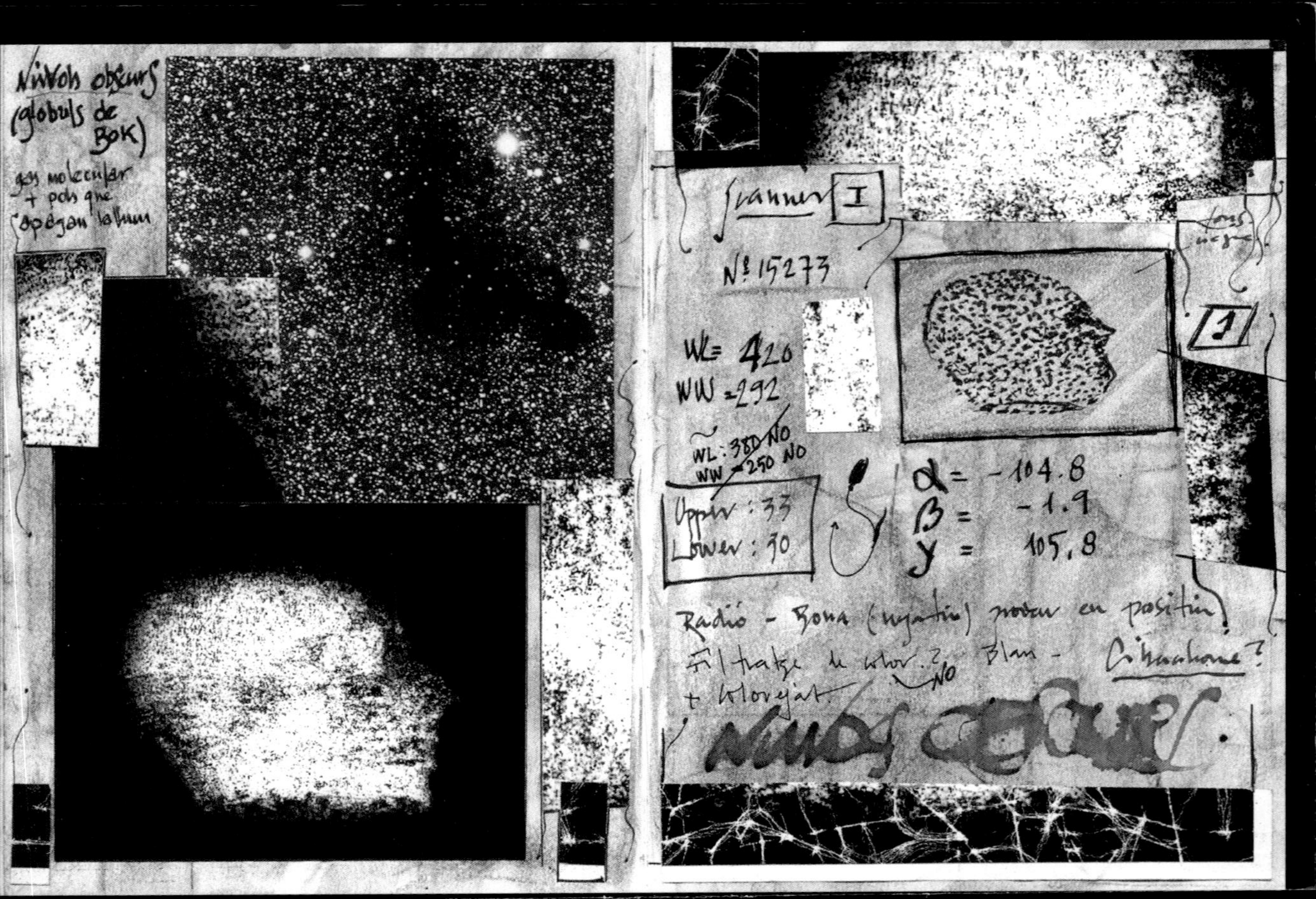
Núvols obscurs
(glòbuls de Bok)
gas molecular
+ pols que
Scanner I
Nº 15273
WL= 420
WW =292
WL: 380 NO
WW: 250 NO
Upper: 33
Lower: 30
α = -104.8
β = -1.9
γ = 105.8
Radio - Bona (negativa) prova en positiu
Filtratge de color? NO
Blau -
+ colorejat
1